Dr. John K. Rosemond

¡Porque lo mando yo!
2

EDITORIAL
Y DISTRIBUIDORA
LEO
S.A. DE C.V.

www.editorialscorpio.com.mx

Idea original y temas del contenido: Georgina Greco
Colaboración pagada y remunerada: J.K.R.

ISBN: 9686801006

Edición No. 35: Septiembre de 2006

Impreso en México
Printed in Mexico

INDICE

RECONOCIMIENTOS

Deseo expresar mi gratitud a . . .

Toda la gente bella de las revistas *Charlotte Observer* y *Better Homes and Gardens* por el apoyo y el aliento que me han ofrecido a lo largo de los años.

A todos mis pacientes por haber confiado en mí al extremo de permitirme entrar en sus vidas y darme la oportunidad de aprender.

Al *Knight-Ridder Wite* y a todos los periódicos de Estados Unidos y Canadá que publican mi columna, por proporcionarme a su público lector.

A todos los que han asistido a mis pláticas, por reírse en los momentos oportunos.

A mi esposa, Willie, la *verdadera* experta, por su amor y su paciente apoyo.

Para Eric y Amy

ESTO ES LO PRIMERO QUE HAY QUE TENER EN CUENTA

Hubo épocas en que la gente se casaba, tenía hijos y los educaba. No era un asunto en el que invirtieran mucho tiempo preocupándose o haciendo planes. Todo se hacía dentro de la misma tesitura de *sembrar y cosechar* en el otoño. Si se encontraban con algún problema en el proceso de criar a los hijos, solicitaban el consejo de los abuelos, las tías abuelas o los hermanos mayores que ya tenían hijos crecidos. Ellos eran los expertos y ofrecían consejos prácticos basados en experiencias de su propia vida.

Avanzaron los años, hubo guerras y apareció el fenómeno de la *prevalencia* de los hijos. Desde las cenizas de la familia extendida (que incluía abuelos, tíos y hermanos), brotó una clase distinta de expertos en crianza, llenos de títulos universitarios, placas de latón sobre la puerta y enormes escritorios de caoba.

Y no pasó mucho tiempo antes de que la *retórica reemplazara a la realidad* en nuestro ejercicio de cómo criar a los hijos. La idiotez tomó el sitio del sentido común. Las familias comenzaron a girar alrededor de los niños y *los padres se volvieron democráticos y permisivos.* En consecuencia, *no es sorprendente que los chicos hayan resultado egocéntricos, consentidos, autoindulgentes, gimoteantes y faltos de control de sí mismos.*

Hace más o menos cuarenta años, tomamos la tarea práctica y de sentido común de educar a los hijos para revestirla con un idioma muy elegante y convertirla en algo abstracto y muy, muy difícil. Y todo aquello que los "expertos" no lograron convertir en algo ideal, romántico y sentimental, fue sujeto de análisis y escrutinio a tal grado que *ya no vemos el total por fijar nuestra atención en lo individual.*

A lo largo de éste proceso, la crianza de los hijos se ha convertido en una *ciencia seudointelectual,* en algo que, "según pensamos," hay que exprimirse el seso para ejecutarla de forma adecuada. Y la verdad es que la crianza de los hijos es lo que ustedes quieran, excepto una tarea intelectual. Y entre más se exprime uno los sesos, tiene más probabilidades de perderse en el laberinto obscuro.

La buena educación y la formación de los hijos no brota de manera primaria de nuestra mente: *Surge del corazón, de las agallas y del valor.* No es cuestión de un razonamiento prolongado y hondo, sino de cuán *intuitivo* es uno respecto a sus propias necesidades y a las de los hijos y de qué tan firmemente arraigado está uno en el terreno del sentido común. Los padres que piensan más de la cuenta están propensos a manifestar que "Educar a un niño es lo más difícil que he hecho en la vida". Los comprendo porque yo me sentía igual. Luego, dejé de pen-

sar tanto en los pequeños detalles, de preocuparme por si una
decisión equivocada echaría a perder para siempre la vida de
mis hijos y comencé a prestar a mi matrimonio y a mis necesidades una dosis de atención igual a la que dedicaba a mis hijos.
Fue exactamente en ese instante cuando la tarea de educar a
los hijos se convirtió en algo sencillo y muy agradable.

Dado que escribo una columna que se publica en Canadá y
en todo el territorio de América del Norte, la gente cree que soy
un experto en la educación de los niños. *¡Pues vaya que tienen
razón! Soy un experto educando niños.* Y los nombres de ésos
niños, de mis hijos son Eric y Amy. A la fecha, Eric cumplió
veinte años y va en segundo año de facultad en la Universidad
Estatal de Carolina del Norte dentro de un programa de inge-
niería, aunque desea ser piloto. Amy tiene dieciseis años y está
a punto de terminar la preparatoria. No sabe qué estudiar y yo
la comprendo. En una vida tan joven como la suya, *el tiempo
no es esencial.* La verdad es que no podría yo tener mejores
hijos: Son inteligentes, creativos, decididos y tienen un gran
sentido del humor.

Me volví experto en educar niños gracias a la técnica de
"prueba-y-error", que es el único método mediante el que se
convierte uno en padre experto. El hecho de tener un grado
universitario en psicología infantil no me convirtió en experto.
La verdad es que mi formación universitaria fue un obstáculo
que más que mejorar redujo mi capacidad para educar niños.
La educación universitaria me llenó la cabeza de una maraña de
abstracciones y teorías sobre los niños y su educación, pero no
hizo nada por mejorar mi sentido común. Me hizo pensar mu-

cho sobre la manera "adecuada" de educar a los niños, y entre
más pensaba, más iba perdiendo contacto con mi sensibilidad y
mi intuición.

Educar a los niños no es fundamentalmente difícil, pero los
"expertos" hacen que parezca terriblemente complejo y todos
cometemos el error de creerles: Después de todo, ostentan unos
títulos muy elegantes, ¿no es cierto? Pero en la realidad, es
común que su retórica oculte más de lo que enseña. Si los des-
pojamos de su idioma elegante y complicado, descubrimos
algunas verdades básicas e intemporales conducentes a que la
educación de los niños se convierta en algo muy simple.

*Ya es hora de que regresemos a un concepto más tradiciona-
lista y de sentido común con respecto a la educación de los
hijos.* Y éso es éste libro: Se trata de poner en primer lugar al
matrimonio, a esperar que los hijos sean obedientes y que con-
tribuyan significativamente a la familia, dándoles todo lo que
necesitan junto con una dosis conservadora de lo que *no necesitan pero desean.* Se trata de recortar lo trivial de lo que es
esencial. Ninguno de los conceptos que establece éste libro es
nuevo, ya que todos han soportado la prueba del tiempo durante incontables generaciones. Todo el problema ha sido que los
ubicamos mal cuando, *para mantener el ritmo del "progreso",
los quisimos convertir en "ciencia y tecnología".*

Durante nuestros primeros años como padres, mi esposa
Willie y yo leímos todos los libros e hicimos todas las cosas
"adecuadas" sugeridas por los expertos, a pesar de lo cual todo

andaba patas arriba. Indicaban que respetáramos a nuestro bebé, a Eric, pero entre más respeto le mostrábamos, menos nos correspondía el pequeño. Expresaban que las familias deben imitar a la democracia, y Eric se volvía cada vez más tirano. También manifestaban con singular energía que no era correcto controlar a los pequeños, pero entre menos control ejercíamos, Eric parecía más descontrolado. Y según las cosas iban de mal en peor, nos sentíamos más culpables, Eric parecía más inseguro y todos llegábamos al límite de la demencia absoluta.

Al transcurso del tiempo, descubrimos que entre más libros de expertos leíamos sobre cómo educar a los niños estábamos cada vez más convencidos de que los profesionales eran dueños de todas las soluciones y seguíamos perdiendo contacto y confianza en nosotros mismos. Y así fue como, casi tres años después del nacimiento de Eric, dejamos de escuchar a los expertos y comenzamos a guiarlo con las riendas del corazón y del valor. Alrededor del cuarto año de vida de Eric y durante el primer año del nacimiento de Amy, Willie y yo comenzamos a dar los primeros pasos para conventirnos en expertos para criar niños.

Mi propósito único al escribir este libro es ponerte a ti, lector, en contacto con tu propia capacidad para convertirte en un experto en la educación de tus hijos. Quiero volver a ponerte en contacto con el sentido común. Quiero transmitirte el pensamiento de que, aunque la educación de los hijos no siempre es divertida, tampoco tiene que ser difícil y puede ser profundamente satisfactoria. En pocas palabras, deseo que aprendas a depender de ti mismo para la educación, la salud y la felicidad de tus hijos.

Después de todo, TU TAMBIEN ERES UN EXPERTO. QUIZAS LO IGNORES, PERO ERES TAN EXPERTO COMO YO. *Por favor. . .* ¡DISFRUTALO!

Dr. John K. Rosemond

Capítulo Uno

LA FAMILIA QUE GIRA ALREDEDOR DE LOS HIJOS

Ya que se me considera como un experto en la educación de los niños, la gente me plantea preguntas constantes sobre cómo hacerlo. Dichas preguntas varían terriblemente. La verdad es que, honradamente, puedo decir que no se me han hecho dos preguntas iguales. Por otra parte, y a pesar de la variedad inmensa, parece que las preguntas obedecen a un común denominador: *"John, ¿cuál es la clave, cuáles son los secretos para educar a un niño sano y feliz?"*

La importancia de la pregunta es tal, que parecería requerir de una respuesta larga y complicada. Durante los últimos años, se ha publicado una enorme cantidad de libros que tratan de responder a esa interrogante, y estoy seguro de que se escribirán todavía más al respecto. Pero después de veintiún años de ser esposo y padre, he llegado a la conclusión de que "La Respuesta" no es tan compleja como parece.

Hay dos formas igualmente simples de responder a la pregunta. La única variación estriba en si hablo con un matrimonio o con un padre o una madre que guían solos a sus niños. Comenzaremos con la situación más usual y me reservaré para después los puntos de vista sobre cómo puede educar a los hijos la madre soltera o el padre solo. De cualquier modo, lo que tengo que decir respecto a la forma en que al matrimonio se le facilita educar a los hijos, es paralelo y útil para que lo haga el padre o la madre sola.

Para los que están casados, el secreto para educar niños sanos y felices es *prestarle más atención a su matrimonio que a sus niños.* Si alcanzan el éxito en ese terreno, los niños mostrarán resultados espléndidos.

Esa respuesta suele sorprender a la gente por que no es la contestación que espera. Toda la gente parece estar preparada para oírme decir algo respecto a aumentar la autoestima del niño alabándolo, dándole todo el tiempo del mundo o cualquier otro concepto que gira únicamente alrededor del pequeño.

En vez de lo anterior, *mi respuesta tiene más relación con la salud de la familia como una unidad* que con una persona específica. Lo que quiero decir es que, al ordenar adecuadamente las prioridades de la familia, le proporcionamos a los niños la más alta garantía de seguridad que podemos proporcionarles.

¡MIS HIJOS SON PRIMERO!

Hace algunos años, conduje una serie de seminarios de orientación para madres que trabajan. Iniciaba las sesiones escribiendo en el pizarrón lo siguiente aún antes de pronunciar una sola palabra:

"MIS HIJOS SON PRIMERO..."

Después, pedía que levantaran la mano todas las participantes que estuvieran de acuerdo con dicho principio. Las manos se levantaban por todo el salón y muchas de mis participantes se miraban unas a otras asintiendo y sonriendo como quien dice: "¡Por supuesto! Todas sabemos que esa es una verdad tan grande como ¡EL EVANGELIO! "Para mí, por el contrario, *todas* aquellas manos levantadas significaban el grado hasta el cual, nuestra cultura, ha equivocado las prioridades familiares.

Desde finales de la Segunda Guerra Mundial, nos hemos vuelto más neuróticos y más obsesivos en lo referente a la educación de los hijos: Algo que no era otra cosa que una responsabilidad basada en el sentido común, se ha convertido en víctima de la trampa de la ciencia. *La crianza de los hijos se ha convertido en "pedagogía", con todas sus implicaciones de alta presión.* En este proceso familiar, hemos elevado a los pequeños a una posición de prominencia que no merecen, que ciertamente no se han ganado por si mismos y; que los perjudica.

Dentro de la familia que gira alrededor de los niños, prevalece el hecho de que los pequeños son la prioridad absoluta y de que la relación padres-hijos es la más importante que existe. Y *entre más se centra a los hijos como base de la familia, más egocéntricos y exigentes se vuelven los hijos.* **Y entre más exigentes se vuelven, resulta más agobiante la tarea de criarlos y educarlos.**

Para justificar las frustraciones inherentes a tal desorden, inventamos la idea de que criar a los hijos es terriblemente difícil. Una vez tras otra oigo a los padres quejarse de que es la tarea más dura de toda su vida. Lo curioso es que, atrás de esa queja me parece percibir un sentimiento de orgullo, como si los padres tuvieran necesidad de que *educar a los hijos fuese una tarea difícil* para sentir que han hecho un trabajo meritorio.

Bueno, pues si ustedes quieren que educar a los niños sea difícil, lo único que se requiere es ponerlos en primer lugar, por encima de la familia. . . ¡y ya verán que difícil se pone la cosa! Les garantizo que se volverán manipuladores, exigentes y que no apreciarán nada de lo que se haga por ellos. Los chicos educa-

dos así, crecerán creyendo que pueden hacer lo que les venga en gana, que es injusto que se espere que adopten alguna responsabilidad en su casa y que sus padres tienen el deber invariable de darles todo lo que quieran y de servirles sin límite alguno y en todas las formas concebibles. Poner a los niños por encima del resto de la familia también garantiza que los padres experimenten lo que han hecho como la tarea más ingrata y frustrante de toda su vida. Como "bonificación adicional", todo resultará en la desdicha de' sus hijos ya que *la felicidad solamente se alcanza cuando uno acepta la responsabilidad por sí mismo* sin creer que *ser conducido* significa que otra persona responde por uno.

Confirmemos: Todo es cuestión de prioridades. En una familia donde hay padre y madre, *el matrimonio es primero, la pareja ocupa la jerarquía número uno.* Después de todo, el matrimonio creó a la familia y es quien la sostiene. *El matrimonio precedió a la familia y está destinado a continuarse cuando los hijos se han ido.* SI NO PONE A SU MATRIMONIO POR ENCIMA DE TODO LO DEMAS Y LO CONSERVA EN ESE SITIO, DICHO MATRIMONIO ESTA DESTINADO A CONVERTIRSE EN UN ESPEJISMO.

LA VIDA DE LA CELULA

La familia que gira sobre los cimientos de la pareja, se parece mucho a la descripción biológica de la célula. El biólogo describe a la célula como la unidad básica de la vida. En el centro de cualquier célula, encontramos un núcleo que es quien "dirige la función", por decirlo de alguna manera. Es el poder ejecutivo de la célula, y como tal, regula el poder reproductivo de la célula, su metabolismo y otras funciones esenciales. También armoniza la relación de la célula con las vecinas y determina qué papel va a desempeñar la célula dentro del organismo de la cual ella es una parte. Más aún: El biólogo sabe que *si el núcleo de la célula es saludable, la célula en sí será sana y estará capacitada para aportar una contribución positiva a su organismo huésped.* En los casos de un núcleo enfermo, perturbado por una enfermedad o por la invasión de materia nociva, la célula pierde su capacidad para desempeñar su papel y comienza a deteriorarse.

Asi mismo, la familia es la unidad básica de la vida social, un organismo que se encuentra dentro de otro llamado sociedad. La Familia también tiene un núcleo que es la pareja o el padre o madre que la guían cuando el matrimonio se disuelve. Por consecuencia, si las necesidades del padre o de la pareja han quedado satisfechas tanto la familia como sistema y como parte individual estará sana y satisfecha. En otras palabras, *si el matrimonio o el padre que se encarga de la familia está bien, el resto de la familia también lo estará y se sentirá protegida y segura. La familia tendrá un sentimiento firme de identidad y, en consecuencia, tendrá las bases necesarias para edificar una dosis adecuada de autoestimación.*

Esto significa que en una familia cuya base son los dos padres, el matrimonio deberá tenerse en la más alta de las estimas. Deberá ser la relación más importante que haya dentro de la familia y *tendrá más relevancia que cualquier entidad individual que haya dentro de la familia.* Por desgracia, mucha gente sostiene esta idea, pero se comporta como si la relación padres-hijos fuera la más importante de la familia. *Dentro del corazón de dicha inconsistencia yace el mito más destructivo que se haya fabricado y adjudicado a los padres: Que los niños requieren de muchísima atención.*

¿Mito? *Pues si: Mito, falsedad, mentira.* Y si quisiéramos ser muy considerados, lo calificaríamos, en el mejor de los casos como un malentendido que brotó de un adelismo falso de orientación. En el peor de los casos, y en especial cuando nos los dosifica un mal llamado "experto en pedagogía", es un embuste.

Desde hace cuarenta o más años, el mito de "Los Niños Necesitan Muchísima Atención" ha ejercido una influencia tremenda sobre nuestra actuación como padres *con resultados totalmente desastrosos* para los hijos, los padres y la familia en general.

ATENCION: EL PRIMER MITO ADICTIVO

Los niños no requieren mucha atención. En realidad, les hace falta bien poca atención. Permítame ayudarle a digerir este platillo pesado refiriéndome a la alimentación de los pequeños.

Los niños necesitan **alimento**. . . pero no demasiado. Si usted insiste en darle a su hijo más del que le hace falta, el pequeño comenzará a depender de que se le dosifiquen cantidades exageradas de **comida**. Si usted continúa acrecentando dicha dependencia, se convertirá en una obsesión que funcionará como una gran fuerza impulsora en la vida de su hijo. El sentido de bienestar de la criatura descansará crecientemente en el concepto de que, para sentirse segura, deberá tener acceso inmediato a la **comida**. Tarde o temprano, su hijo se convertirá en adicto a la **comida** y eso le pesará como una piedra atada al cuello haciendo peligrar el desarrollo de su autoestima.

Y ahora, por favor regrese al párrafo anterior y substituya el término "comida" o "alimento" por el de ATENCION. Hágalo, yo le espero.

¿Listo? Muy revelador, ¿no es cierto? Como ustedes verán,

es tan absurdo decir que los chicos requieren mucha atención como manifestar que les hace falta mucha comida. El exceso de atención hace tanto o más daño que el exceso de alimento. *Nadie podría discutir que parte de nuestro trabajo como padres es establecer límites con respecto a cuánta comida deben consumir nuestros hijos. En consecuencia, también es parte de nuestra labor establecer los límites de qué cantidad de atención conviene que consuma el niño en el interior de su familia. El problema estriba en que muchos, por no decir que la mayoría de los padres falla en establecer límites adecuados a la atención que los niños esperan recibir.* La consecuencia es que podemos observar que en muchas familias HAY UN NIÑO O VARIOS QUE PARECEN NO RECIBIR NUNCA LA CANTIDAD SUFICIENTE DE ATENCIÓN.

Lo más probable es que todos conozcamos el caso de algún niño que interrumpe constantemente la conversación de los adultos, que quiere "ser parte de la acción" cuando sus padres hacen alguna demostración de afecto para alguien que no sea el mismo niño, que habla de manera constante (¡y a todo volumen!), que actúa como retrasado mental y demuestra en todas las formas posibles que preferiría ser parte del mundo de los adultos que salir a jugar con los demás niños.

HABLAMOS DE UN ADICTO: El niño que se vuelve adicto a la atención tiene probabilidades ELEVADISIMAS para más adelante TRANSFERIR ESA DEPENDENCIA A LAS DROGAS, EL ALCOHOL O CUALQUIER OTRO COMPORTAMIENTO AUTODESTRUCTIVO Y DE ALTO RIESGO. *En el mejor de los casos, el niño adicto a la droga de LA ATENCION nunca obtendrá verdadera, auténtica autonomía emocional.*

En párrafos anteriores, comparé a la familia con una célula.

En cierta forma, *la familia también está estructurada como el sistema solar,* como algo similar a una célula galáctica. En el centro del sistema-solar-familiar, hay una célula de energía que nutre y estabiliza a todo el sistema. Alrededor del núcleo central, gira un cierto número de planetas en etapas diversas de "madurez".

Igual, de la misma manera, la familia requiere tener en su centro una fuente poderosa, estabilizadora y nutriente que la surta de energía. Las únicas personas calificadas para ocupar esa situación de poder y responsabilidad son los padres. *Su tarea es definir, organizar, conducir, nutrir y sostener a la familia.*

Los niños son "los planetas" de este sistema. Cuando son pequeños, su órbita gira muy cerca del sol, del planeta central, porque requieren una alta dosis de nutrición y guía. *Según van creciendo, la circunferencia de sus órbitas se vuelve más amplia de modo que, en la adolescencia o alrededor de los veinte años, los chicos sanos deben tener la cordura suficiente para alejarse de la fuerza de gravedad que los ata a los padres y embarcarse en su propia vida.*

LA META ESENCIAL DE NUESTROS HIJOS ES ALEJAR-SE DE NOSOTROS, Y NUESTRA TAREA ES AYUDARLES A LOGRARLO. Y permitir que el pequeño florezca bajo el reflector de la atención familiar, lo convierte en un lisiado en lo referente a establecer grados importantes de independencia. El niño no puede ser el centro de atención de una familia y, simultáneamente, alejarse de ella. Es una cosa o la otra.

Si se coloca a la criatura bajo el reflector de la atención familiar, le crea uno la ilusión de que es el miembro más importante de la familia. La posición central del escenario es terriblemente acogedora, cómoda, y el niño que desempeña el papel no tiene maldita la gana de abandonarlo. . . desea permanecer bajo el reflector luminoso, calientito, todo el tiempo que se pueda, bajo la luz tibia y suave del reflector.

En 1972, un grupo de investigadores revisó un muestreo de estudiantes graduados. Cuatro años después, se les volvió a entrevistar descubriendo que aproximadamente el veinticinco por ciento de los chicos seguían viviendo en la casa paterna. En 1984, el equipo de investigadores realizó la tarea con un grupo de graduados en 1980. En esta última ocasión, descubrieron que el cincuenta por ciento seguía soltero y viviendo con sus padres.

Las estadísticas anteriores muestran que los chicos de la actualidad sufren dificultades terribles para volverse libres, autosuficientes. Será que se aferran a nosotros; nosotros a ellos, o ambas cosas.

MADURAR: LAS REGLAS DEL JUEGO

Durante la mayor parte de los primeros siete años de mi vida, mamá estuvo sola y vivimos con mi abuela en el ahora histórico distrito de Charleston, Carolina del Sur, que en aquellos tiempos no pasaba de ser "la sección vieja de la ciudad."

La abuela trabajaba todo el día y mi madre estudiaba biología en la Universidad de Charleston. Por las noches y durante los fines de semana, mamá trabajaba en el correo clasificando la correspondencia. Durante muchos años, una mujer llamada Gertie Mae se acupó de mí y de la casa. En esos tiempos, mamá era una persona terriblemente ocupada, lo cual es comprensible porque tenía empleo, casa que atender y su universidad. Muchas veces no estaba en casa para acompañarme a la cama y lo hacía mi abuela, leyéndome escritores clásicos como Rudyard Kipling.

Cuando mamá estaba en casa, pasaba la mayor parte de su tiempo estudiando y no mucho conmigo porque no disponía de él. La verdad es que desalentaba mi empeño de andar alrededor de ella. Cuando me le acercaba mucho rato, me miraba con severidad para decir algo así como: "Te me atraviesas como si fueras un gato. No te pegues conmigo; deberías estar afuera, buscando algo que hacer". Y uniendo la acción a la palabra, me empujaba fuera de la casa, donde acababa por encontrarme compartiendo la banqueta con otros chiquillos, a los que también habían echado fuera de sus casas.

Mamá tenía poco tiempo para mí y esperaba que fuera volviéndome independiente; siendo niños, todos estábamos contentos jugando juntos. *Jamás me sentí rechazado o falto de amor. Por el contrario: me sentía querido y simultáneamente independiente.* Mamá siempre estaba a mi alcance cuando la necesitaba, así como no lo pensaba dos veces para indicarme *cuando lo que yo sentía no era necesidad sino deseo innecesario.*

En restrospectiva, ahora comprendo que echarme fuera para que no me atravesara en su camino como los gatos, era la forma que usaba mamá para hacerme entender que ella tenía una vida propia independiente de su maternidad, *y que yo también tenía una vida propia.*: Al evitar que dependiera exageradamente de su presencia y su atención, mamá me dio permiso de madurar y de volverme autosuficiente.

Y esa es toda la tarea real de los padres: Ayudarle a los niños a que salgan de nuestras vidas. Cuando se lo manifiesto así al público de mis seminarios, algunos se ríen y otros parecen estar al borde de un estado de *shock*, como si acabaran de escucharme decir algo obsceno, sacrílego o ambas cosas. Pero no se trata de una broma ni lo digo para chocar a la gente. Es la 'pura verdad. *Y cuando se la desviste de la retórica intelectual y de las florecitas emocionales y sentimentales, se encuentra uno con la verdad total de que criar a los hijos no es otra cosa que el propósito de ayudarles a que se separen de nuestra vida para que construyan una vida propia.* Se llama **emancipación, y esto no es un acto que tenga lugar cuando los chicos tienen cerca de veinte años: Para que éste proceso se desarrolle y dé frutos, se requieren cerca de veinte años.** No es tan complicado ni tan difícil. Sólo significa que tiene usted que hacer por sus hijos lo mismo que mamá hizo por mí.

Mamá se volvió experta en enseñarme a distinguir entre mis necesidades y mis deseos. Si la necesitaba verdaderamente, siempre estaba a mi alcance. Si la buscaba para conseguir algo que podía hacer sin su ayuda o por mí mismo, me mandaba rápidamente al demonio. Yo no era el núcleo de su vida y según fui creciendo, mamá se aseguró de no ser el núcleo de la mía, ni el centro de mi-atención. *Yo tenía que ocuparme en crecer, en madurar, y ella se limitó a señalarme el camino.*

Hacer dicha distinción es la responsabilidad más esencial de los padres. Al principio, los padres lo hacemos todo hasta que tarde o temprano, el niño se vuelve capaz para hacer las cosas por sí mismo. *Eso se llama crecer- madurar, y se opone a que se brinde atención en exceso.*

Por eso es vital que los padres se den cuenta de que el porcentaje de atención que se le otorga a un hijo, no tarda en llegar a su punto de equilibrio menor: Una vez que se llega a ese punto, la atención es más nociva que beneficiosa. Cuando ese pro-

ceso comienza a avanzar, va creciendo la creatividad, la autosuficiencia y, por ende, la autoestima del pequeño.

Consecuentemente, cuando le pido a los padres que presten
más atención a su vida como pareja, no estoy apoyando la
negligencia egoísta: Se le presta más atención al matrimonio
tanto por el bien de ustedes como por el del niño.

JUEGOS EN QUE PARTICIPAMOS

El hecho de que *la pareja* del matrimonio sea el Número Uno
de la familia significa, entre otras cosas, que el hombre y la
mujer desempeñen adecuadamente sus papeles que no son otra
cosa que los que adoptaron el día de su matrimonio. *El problema estriba, con demasiada frecuencia, en que cuando la pareja
tiene hijos, el papel de esposo y esposa comienza a retroceder, a
palidecer: Poco a poco, la mujer deja de funcionar como esposa
para adoptar el papel principal de madre. Simultáneamente, el
marido deja de serlo para convertirse en proveedor.*

El proceso anterior no es consciente es como si el nacimiento
de un pequeñito activase programas culturales que dicen: "Escucha, esposa, ahora tu obligación primordial se dirige a tus
hijos", y "Atiéndeme, esposo ahora, tu primer deber estriba en
construir una seguridad económica permanente para tu familia."

Y asi es la forma en que el contrato original (la devoción entre esposo y esposa), comienza a desbaratarse. Cuando tiene
lugar este insidioso cambio de papeles, la esposa (repentinamente convertida en madre,) *comienza a meditar su autoestima en
función de cuán bien educados están sus hijos, de su funcionamiento social, académico y de todas las actividades con respecto*

a las que ella se siente obligada a funcionar como chofer. Por su parte, el marido (convertido en el proveedor de los dineros) comienza a medir su autoestima contra la cantidad de dinero que gana, la rapidez con que asciende por la escalera profesional y la dosis de prestigio que adquiere para sí mismo y para su familia.

El problema es que estas dos personas no entran en conciencia de que se están moviendo en direcciones opuestas, contrarias. La esposa se involucra, se obsesiona y se consume cada vez más con los hijos y con su papel materno, sus preocupaciones y sus responsabilidades. El esposo, por su parte, se sumerge cada día más en su carrera. Cada día pasa más tiempo en su oficina y cuando vuelve a casa es común que lleve consigo parte de su oficina, si no físicamente, al menos en forma de un portafolios a punto de estallar de tan repleto, y mentalmente, bajo el disfraz de jaquecas, preocupaciones y otras formas de *stress.* Si la esposa quiere relacionarse con él en cualquier forma, descubre que primero tiene que darle la vuelta a su preocupación con el trabajo. Por su parte, si el desdichado esposo desea llegar a establecer cualquier tipo de relación con ella, primero tiene que darle la vuelta a la preocupación de su mujer respecto a la crianza de los hijos.

Dentro del desarrollo de esta divergencia, comienza a crecer el resentimiento interno de la relación de pareja. *El esposo comienza a sentirse crecientemente rabioso por la preferencia que ella da a los hijos, porque les concede más tiempo aun en las pocas horas que él pasa en casa. Y la esposa está cada día más enojada por el hecho de que su marido le conceda más tiempo a su profesión o a su trabajo que a ella.* La esposa ve su propia mitad del panorama y él ve la suya. Pero ninguno de los dos puede ver el panorama completo que incluye la parte que desempeña cada uno de ellos en el proceso. *En vez de eso* _cada uno de los miembros de la pareja, define la situación como si fuera "culpa" de la otra parte._

En vez de colocar sus cartas sobre la mesa, estas dos personas comienzan a organizar juegos para expresar y manejar sus resentimientos almacenados. Los juegos en que participan uno y otra siempre se llaman "¿Adivinas en qué pienso?" o, bien, "¿Quién de los dos tuvo un día más difícil?" Si no lo reconoce usted o si tiene mala memoria, puedo proporcionarle un _tip:_

—_¿Quién de los dos tuvo un día más difícil?_—: es el juego que comienza alrededor de las cinco y media de la tarde, cuando papá llega a casa. Voy a describir el juego en términos de cómo se juega en una familia más o menos "tradicional", donde papá trabaja para ganarse la vida y mamá trabaja criando a los pequeños. Y este mismo juego puede llevarse a cabo si ambos trabajan fuera de casa.

Bueno, pues papito entra a la cochera y la noticia se extiende por toda la casa:

— ¡Ya llegó papi!

De inmediato los niños comienzan a danzar y a correr como dementes como para recibir adecuadamente a papá en el instante en que entre a la casa. Papito estaciona el coche, se baja y de inmediato adopta su postura agotada de " ¡Ay, que día tan difícil tuve!"

"Papito El Agotado", entra a la casa arrastrando los pies y el portafolios, Cuando abre la puerta, se le viene encima una estampida de niños, cada uno de los cuales lucha por obtener su atención.

Cada uno de los pequeños arde en deseos por decirle a papito lo que hizo ese día y de acusar repetidamente a su hermanito(a).

—¿Me trajiste algo?

—Papito, ¿nos llevas a la tienda? Por favor, papi, ¿si? Por favor, llévanos a la tienda. ¿Si? ¿Verdad que si, papi?

Y no debemos olvidar a mami. Se encuentra de pie en la parte posterior del escenario, observando el caos desde la penumbra. Pero su postura de "¡Ay, que día tan difícil!" es diferente a la de su esposo.

Las pupilas de mamá están dilatadas, las fosas nasales abiertas a su máxima capacidad, y las venas de su cuello parecen cuerdas de violín. No es necesario que exprese algo, porque todo su cuerpo grita lo que está pensando: "¡¡¡ESTOY HARTA!!!" Si pronuncia algunas palabras, son algo así como "Bueno, grandulón, ya era hora de que regresaras de tus vacaciones de ocho horas de oficina. Es tiempo de que descubras lo que significa ser padre. A partir de este momento, los niños corren por tu cuenta."

¡El juego ha comenzado! En algunos casos, el esposo "gana" y logra que su esposa se muestre de acuerdo en que su día fue muy duro, en que su jefe es un cerdo, en que él trabaja como un esclavo, bla, bla, bla, y le permita que se derrumbe en un sofá y se esconda tras el periódico mientras ella entretiene a los niños en otra habitación.

Y también hay ocasiones en que la esposa "gana". Su agobiado marido se lleva a los niños a pasear un rato para que ella descanse, y pasa a cualquier restaurante chino a comprar comida preparada para que ella no entre a la cocina y (si mamá tiene mucha suerte), acuesta a los pequeños.

En último análisis, ¿cuál de ellos gana el jueguito de "quién tuvo el peor día"? *Este es un juego donde no hay triunfadores. Es un juego que la gente juega PORQUE YA PERDIO ALGO, y ese algo es el sentido adecuado de la prioridades.* De alguna manera, en cualquier momento, ubicaron mal el hecho de que *el matrimonio es el compromiso más importante que hay en sus vidas.* Hasta que vuelvan a descubrirlo, a ubicarlo, seguirán aislándose en el desempeño de papeles que no los complementan mutuamente y que los distancian cada día más en términos de intimidad y comunicación.

No es sorprendente que el índice de divorcios en parejas de cuarenta y cinco o más años esté aumentando mucho más rápido que los de otras edades. *Durante las últimas décadas hemos logrado a tal punto adiestrar a la mujer para convertirla en madre y al hombre en proveedor, que cuando los hijos se van, ellos ya olvidaron cómo ser pareja.*

Y no es que haya perdido contacto con la realidad: Hay que atender a los pequeños y ganarse la vida. Lo único que deseo establecer con claridad es que las esposas deben seguir siendo esposas, primera y últimamente esposas, aunque se conviertan en madres. Asimismo, los hombres debemos seguir siendo esposos, independientemente de las exigencias del trabajo o la profesión: Mamá, papá y proveedor, son papeles secundarios, mientras que *marido y mujer son los papeles primordiales de los adultos de la familia.*

Si lo anterior es difícil de aceptar es solamente porque el

programa cultural al que hice referencia anteriormente es tan exigente, tan fuerte, tan poderoso y persuasivo que sucumbimos ante él sin pensar en las consecuencias.

La peor de las noticias es que muchas de nuestras familias están en problemas porque tanto el marido como la mujer han perdido contacto con su compromiso primordial. *La mejor noticia es que resulta más sencillo arreglar el problema que vivir con él.* Usted puede comenzar dándole a su matrimonio calidad de vida.

EL VERDADERO SENTIDO DE LA CALIDAD DE TIEMPO

El concepto de *calidad de tiempo se* acuñó a principios de la década de 1970 en referencia a la ansiedad de las madres de familia que temían dañar a sus pequeños al tomar un empleo.

—No hay daño,— afirmaron los que proponían el concepto. No es necesario que pasemos muchísimo tiempo con los hijos mientras que el tiempo que se comparta con ellos tenga calidad.

Eso es indiscutible, aunque el problema es que muchas madres que trabajan sienten estar obligadas a pasar cada instante libre dándole a los nenes inmensas dosis compensatorias de atención. Y por eso, después de recoger a los niños en la guardería o la escuela, *llegan a casa a fustigarse con el látigo de "tiempo-para-los-niños",* hasta que llega la hora de acostarlos; en ese momento, mamita está demasiado agotada como para dar atención de calidad a su matrimonio. Si papito se unió a la penitencia de pagar tiempo, también está exhausto. Si no es así, está atarantado de tanto ver televisión o tenso por el *stress* del trabajo que se llevó a casa: Ya no tiene ánimos para funcionar como esposo.

Es un hecho que no es malo dejar a los niños al cuidado de alguien más durante periodos significativos de tiempo, excepto cuando ese alguien es inconveniente, cuando la guardería o el kinder no es adecuado. Por esa razón, es importante que los padres investiguen acuciosamente las opciones y elijan sobre la base de que se dará atención cualitativa a los niños, sin que importe la conveniencia social o el costo.

Si mientras usted trabaja, sus pequeños están bajo el cuidado de gente grande que tiene el adiestramiento requerido para cuidar a gente pequeñita y para atender a sus necesidades, no tiene por qué sentirse culpable ni obligada a compensar a los niños. Si de lunes a viernes no junta más de cuatro o cinco horas para funcionar como parte de una familia, es aún más importante que no pierda de vista sus prioridades familiares.

Recuerdo a una pareja joven que atendí hace varios años por el aparente problema de su hija de cuatro años que requería ser el centro de la atención en todo momento. Los padres de la niña vivían agobiados por una serie constante de interrupciones que no eran más que una variación sobre el tema de "¡Mírenme! ¡Admírenme! ¡Apláudanme!" Y si no atendían de inmediato a las exigencias, la niña comenzaba a gimotear. Y si eso no daba resultados, la pequeña comenzaba a saltar y a chillar a voz en cuello. No cabe duda de que la escenita era absurda, pero tampoco puede negarse que el espectáculo es aterrador, especialmente para los padres novatos.

Ambos padres trabajaban y se sentían entre la espada y la pared: Aunque su hija estaba inscrita en el mejor programa de cuidados diurnos de la ciudad, papá y mamá sentían que sus carreras de trabajo privaban a la niña del tiempo y la atención que necesitaba. Sostenían la tesis de que la exigencia constante de atención que mostraba la pequeña era una muestra de su falta de seguridad en sí misma. Infortunadamente, no sólo era importante que ambos padres prosiguieran sus carreras de trabajo, sino que, además, tenían necesidad económica.

— ¿Qué podemos hacer?— me preguntaron.

—Comiencen por contarme *qué están haciendo.*

—Bueno, — comenzó la esposa, cuando llegamos a casa, nos dedicamos a ella. Jugamos con la niña, le leémos cuentos, la sacamos a pasear. Creo que después de haber estado separada de sus padres todo el día, merece que nos entreguemos a ella. . .

— ¡Alto! Creo que ya ubiqué el problema.

Procedí a contarle a la pareja sobre algunos amigos míos que también trabajaban y tenían dos nenes en edad escolar que, después del colegio asistían a una guardería hasta alrededor de las cinco de la tarde, cuando sus padres los recogían para llevarlos a casa.

Hace varios años, estos amigos míos crearon una regla insólita: *Durante media hora después de llegar a casa, estaba prohibido que los nenes entraran a la sala, la cocina, la recámara o cualquier lugar donde estuvieran sus padres.* Los niños jugaban en su habitación o salían al jardín mientras sus padres se relajaban un poco y charlaban.

Hasta el día en que establecieron *la regla de la media hora,* mis amigos se sentían obligados a dedicarle a los niños el resto del día. Lo curioso era que entre más atención le daban a los pequeños, éstos se volvían más exigentes, más egocéntricos y desobedientes. No pasó mucho tiempo antes de que mis amigos se dieran cuenta de que los pequeñitos se habían apoderado del dominio de la familia. ¡*tratando de ser buenos padres, habían creado dos monstruos!*

Al comprender que su relación mutua era más importante que su relación con los niños, volvieron a poner al matrimonio en el centro del escenario. La regla de la media hora fue sólo uno de los múltiples cambios en las políticas familiares. El asunto funcionó de la manera siguiente:

Al llegar a casa, mis amigos ponían el contador de tiempo de la estufa a un plazo de treinta minutos ordenando a los niños que buscaran algo que hacer. Cuando se instaló esta primera regla, los padres se mostraron inamovibles ante las exigencias de los niños y los enviaron a sus habitaciones, con suavidad pero con firmeza. Durante las primeras semanas, cuando los pequeños escuchaban el timbre del contador de tiempo, corrían como locos para obtener una buena dosis de devoción paterna y materna. Al transcurso de los días, el intervalo entre el contador de tiempo y la aparición infantil comenzó a alargarse. Poco a poco se volvió inútil poner el contador porque al llegar a casa, los niños ya habían descubierto que tenían muchas cosas que hacer antes de la cena. Y después de la cena, regresaban a sus juegos hasta que llegaba la hora de acostarse. En ese momento, sus padres los acomodaban en sus camitas para contarles una historia.

Yo describiría a esos dos niños como *independientes, seguros de sí, desenvueltos, felices, maduros, con buena aptitud para el juego, obedientes, educados.* . . ¿es necesario que siga adelante? *Sus padres los aliviaron de la adicción hacia que se les atendiera en todo instante al poner a su matrimonio en primer lugar.* Al hacerlo, ambos desafiaron a un gran esquema de "esto es lo correcto" que dirige en casi todas las familias donde ambos padres trabajan.

Los padres de la pequeña se impresionaron lo suficiente con la historia de mis amigos como para aplicar la misma técnica en su caso. No volví a verlos hasta seis meses más tarde, cuando casualmente me los encontré en una tienda. Se disculparon por no haber vuelto a mi consultorio, pero no había sido necesario. Mientras hablábamos de nimiedades sociales, me pude ir dando cuenta de que todo había cambiado en su familia. Para muestra basta un botón: *La niña estaba sonriente y silenciosa junto a sus padres, sin interrumpir nuestra conversación.*

—Probamos la regla de la media hora... ¡y funcionó! Cuando llegamos a la casa, Julie afrontó la responsabilidad de ocuparse de sí misma. Durante la cena, los tres conversamos, pero después, la pequeña se entretiene hasta que llega la hora de acostarse. En ese momento, la acompañamos y platicamos con ella o le contamos cuentos durante media hora y luego se le apaga la luz. *¡Ahora somos más felices los tres!*

Julie levantó sus ojos bellos para ver, primero a sus padres y luego a mí. Muy sonriente, me regaló un gran abrazo.

Me encantan los finales felices... como a todo mundo. ¡No es cierto?

MAS CALIDAD DE TIEMPO

Aquí les ofrezco varios métodos para lograr *calidad de tiempo* para el matrimonio y también para ayudar a los peques a comprender que la relación de papá y mamá es NUMERO UNO. (Padres solteros o solos: Esto también va para ustedes).

1.- NO PERMITAN QUE LOS NIÑOS INTERRUMPAN SUS CONVERSACIONES: *Que esperen su turno, de preferencia en otra habitación. . .* Anuncien: "Ya te avisaré cuando hayamos terminado." El pequeño que "no puede esperar", probablemente requiere cinco minutos de "enfriamiento" en su cuarto.

2.- HAY QUE ESTABLECER UNA "NOCHE FUERA SE-MANAL PARA LOS PADRES, *sin permitir que nada, excepto los actos de Dios inferfieran con la decisión y el programa.* Ocasionalmente, hay que marcharse de fin de semana sin los niños. Ellos tienen que comprender y aceptar que el matrimonio, la pareja, es una entidad independiente y autónoma dentro de la familia, que tiene vida y necesidades propias.

3.- ACOSTAR A LOS NIÑOS MUY TEMPRANO. Recordemos que la hora de acostarse de los pequeños es *para beneficio de ustedes.* En otras palabras, determinen ustedes cuánto tiempo tranquilo requieren sin tener responsabilidades paternas y establezcan la hora de llevarlos a la cama de acuerdo con su decisión. En vez de esperar a que los nenes "estén listos", acuéstenlos cuando *ustedes* estén listos para poner en descanso sus papeles de "papi y mami" y *estén dispuestos a ser "marido y mujer".* Siempre he pensado que las 8:30 de la noche es tardecito para que los niños de preescolar estén en la cama. Recomiendo que los mayorcitos estén en su cama a más tardar a las 9:30 de la noche. Ahora que, si los pequeños están dispuestos a "volverse invisibles", es permisible que permanezcan despiertos hasta las 10 de la noche.

4.- Una vez que los niños están en la cama, hay que reducir al mínimo las interrupciones. Tomen el acuerdo de que *después de la hora de dormir a los niños, no se hará trabajo de oficina ni de casa.* Inviertan este lapso volviendo a ponerse en contacto con los sentimientos que los condujeron a casarse. *En este aspecto, lo peor que pueden hacer, lo menos creativo y rentable, es sentarse a ver la televisión.*

COMO VER LA TELEVISION... A SOLAS

Desde principios de la década de 1950, el índice de divorcios ha aumentado escandalosamente. Es interesante considerar que haya sido en esa década *cuando la televisión invadió los hogares y comenzó a apoderarse de la vida familiar,* especialmente al anochecer. En la familia promedio la televisión funciona seis horas diarias, cuarenta y dos por semana.

En una encuesta reciente, se preguntó a los matrimonios de un año de edad que identificaran la posesión más valiosa de sus casas. No es sorprendente que una enorme mayoría haya señalado su aparato de televisión. A estas parejas también se les preguntó qué aspecto de su matimonio necesitaba más mejoras e, irónicamente, todos respondieron lo mismo: *La Comunicación.*

Otra encuesta digna de confianza descubrió que la pareja promedio invierta no menos de MEDIA HORA *SEMANAL* EN UNA COMUNICACION SIGNIFICATIVA, DE PERSONA A PERSONA. Sin embargo, *cada uno de los integrantes de la pareja pasa más de veinte horas a la semana con los ojos en la pantalla de televisión.*

El idioma del televidente disfraza y oculta la verdad. *La gente habla de ver la tele "juntos", pero ambas cosas (ver la televisión y comunicarse) son opuestas.* Cuando la familia se reúne ante el aparato de televisión, cada uno de sus integrantes, *cada individuo, se convierte en una unidad aislada y sola,* sintonizada a su propio canal de emociones audiovisuales...

Bien podría usted estar a cuarenta kilómetros de distancia de la persona que se sienta a su lado si ambos observan lo que se conoce como "la caja idiota". *No es posible ver la televisión y, simultáneamente, comunicarse entre sí de una manera íntima, personal.* Es una u otra. Pregúntese a sí mismo, *¿qué es más importante?*

PREGUNTAS Y RESPUESTAS

P. *Soy la madre soltera de dos pequeñitos. ¿Cómo puede aplicarse todo lo que usted ha dicho sobre la pareja a una madre sola?*

R. Es posible que la situación sea diferente, pero las prioridades son idénticas. En una familia dirigida por padre y madre, las necesidades del matrimonio son prioritarias. En la familia encabezada por un solo padre, *las necesidades de ese padre o esa madre, ocupan el primer lugar.*

La "trampa" para padres solteros *atrapa con mayor facilidad a las madres solas* que a los padres. Por una suma importante de razones, las madres están más propensas a descuidar sus propias necesidades a favor de las exigencias de los hijos. *Las madres también muestran mayor dificultad en el aspecto de distinguir qué desean los hijos a lo que en realidad necesitan. Cuando la madre soltera o divorciada tiene la custodia absoluta de los niños,* se siente obligada a sobrecompensar la ausencia del padre. Y es dentro de este proceso donde cae en la trampa de sobreproteger y consentir exagerada, neuróticamente a los pequeños, y termina estirando sus recursos emocionales hasta el punto de rompimiento.

Vamos a verlo de una manera práctica: Usted no puede abastecer la tienda de alguien a menos que su propia bodega esté

bien provista. Pero en lugar de cuidarse a sí mismas para conservar su bodega abastecida, *las madres solas frecuentemente se
sienten impulsadas a descuidar sus propias necesidades para
atender a las de los niños.* Dan y siguen dando (emocional y
materialmente) a los niños, que acaban por tomar la generosidad
materna como algo natural y cada vez lo agradecen menos. No
transcurre mucho tiempo antes de que los pequeñitos comiencen a actuar como mocosos ingratos y exigentes. Eventual e
inevitablemente, la capacidad de la pobre madre soltera se de-
rrumba y ventila su frustración con los niños. De ahí, sigue el
sentimiento de culpa.

—No debí enojarme tanto con los niños. Ellos no tienen la
culpa de que no haya un padre en esta casa.

En este punto, la madre sola o soltera se siente impulsada a
resarcir a los pequeños; a hacer algo especial a favor de ellos por
haber perdido el control y haberse enojado. Y es así como regresa al negocito de siempre.

En esta telenovela dramática y constante, los niños son víctimas de las circunstancias y *mamita hace "penitencia" sacrifi-
cándose a sí misma. . .* Cada vez que se enoja con los peques,
acaba sintiéndose una "mala madre", y pensando lo mismo:
Si pudiera controlar mi maldecido temperamento, todo andaría
bien". Pero el problema no es su temperamento, sino *su falta
de temperamento.* Para resolver su problema, mami tiene que
aprender a atemperar, a conciliar sus necesidades propias con
las de sus niños. *Tiene que atemperarlas concediéndoles a los
niños y a sí misma lo que es de justicia para cada una de las
partes.*

Las compensaciones y las bonificaciones casi nunca funcionan: En lugar de resolver los problemas, acaban por conver-

tirse en parte de ellos. *Como madre soltera o sola, es imperativo que usted establezca para sí misma una identidad que no tiene nada que ver con los niños.* DEBE PROMOVER QUE LA MUJER ADULTA QUE VIVE EN SU INTERIOR SE SEPARE DE SU PAPEL DE "MAMITA" Y SATISFAGA SUS PROPIAS NECESIDADES sociales, emocionales y recreativas.

En pocas palabras, por bien propio y de los peques, tiene usted que volverse *creativamente egoísta. Sólo así obtendrá un "inventario" adecuado para compartirlo con los nenes.*

P. *Soy una madre sola con dos pequeños, de cuatro y seis años. Su padre y yo nos divorciamos hace poco más de un año y desde hace seis meses, estoy involucrada en una relación emocional que parece muy seria. Infortunadamente, parece que a los niños no les agrada mi pareja. El ha hecho esfuerzos importantes por ganarse a los peques, pero parece que entre más se empeña, peor lo reciben. La pequeñita de cuatro años ha llegado al extremo de decirle "Oye, ya es hora de que te vayas a tu casa". ¡Apenas daba crédito a lo que estaba oyendo! Hemos hablado sobre la perspectiva de una boda, pero la verdad es que la actitud de los niños me da mucho en qué pensar. ¿Cómo puedo manejar este asunto? Y algo más: ¿Cuál es el momento adecuado para que podamos comenzar a mostrarnos el afecto mutuo que sentimos uno por otro frente a los niños?*

R: Aunque la declaración de *"ya es hora de que te vayas a tu casa"* es verdaderamente escandalosa, es típica de lo que dicen los niños en circunstancias así. No habiendo aprendido el arte de la diplomacia social, los nenes suelen ser muy francos en lo referente a lo que les incomoda.

Tenga presente que su "falta de simpatía" por el hombre con quien usted se relacionó no es materia personal. Ante los ojos de los pequeños, "papito" conserva un interés constante en la familia. En consecuencia, *la aparición de su galán en la casa, despierta una respuesta protectora muy enérgica por parte de los niños.*

Considere también que, desde que "papito" se fue de la casa, los niños habían gozado de la atención absoluta e indivisa de mamá... hasta la llegada del galán. Es probable que ahora les cueste trabajo digerir que buena parte de aquellos "beneficios" van a dar a otra persona. No obstante, eso *no significa que usted deba darles mayor atención;* Se refiere a la necesidad de que ellos se ajusten a recibir MENOS ATENCION.

Hable con ellos respecto a lo que sienten. Reconozca que lo que experimentan es *normal* y AYUDELES A ENTENDER QUE SU RECHAZO NO ES CONTRA EL GALAN DE MAMI SINO CONTRA LA SITUACION. Exíjales que cooperen siendo hospitalarios y corteses para cualquier persona que entre a su casa. La discusión abierta de ésta clase puede o no ayudar a que se resuelvan los problemas, pero permitirá que los niños expresen sus sentimientos. Si no se resuelve el problema, usted tendrá que mostrarse más enérgica.

Enfrente cualquier otra manifestación de descortesía *en el instante mismo en que se presente,* sin utilizar términos rebuscados ni darle vuelta a las cosas, abiertamente, de frente, y haga saber a los niños que no están autorizados para ser majaderos. De inmediato, esfúmelos rumbo a su cuarto hasta que decidan pedir una disculpa. Si usted no se bambolea en ésta postura, el problema desaparecerá a la brevedad.

En cuanto a la situación de que los pequeños se acostumbren a presenciar leves muestras de afecto entre usted y su galán, vaya muy despacio: Comiencen por tomarse de la mano y

si los niños intervienen para que no lo hagan, acepten con dulzu-
ra y a la primera oportunidad, tómense nuevamente de la mano.
Una vez que los chiquillos lo hayan aceptado, pueden darse un
abrazo "fraternal", pero sean discretos y conserven el nivel de
buen gusto con respecto a los besos.

*Es bueno que los pequeños sientan que el afecto del galán los
abarca a ellos y que de parte de ese nuevo hombre que hay en
su vida haya algún rasgo de cariño para ellos.* Puede ocuparse de
leerles el cuento nocturno, y hacerse cargo de los nenes si usted
tiene que ir por algún mandado a la tienda. Pronto, podrá ayudarla a poner a los nenes en la cama. NO PRESIONE A NIN-
GUNA DE LAS PARTES. Procure ser sensible a las necesidades
de "seguridad" de los peques. Si su galán le hace una invitación
a los niños y ellos no aceptan, él no debe tomarlo a lo personal:
Tiene que retroceder un paso e intentarlo poco después. *En
este terreno, la paciencia es el factor principal.*

Si usted y su galán están sentaditos en la sala y tomados de la
mano y los niños intentan romper el contacto, hágales saber que
"no es su turno". Esto significa que, en ciertos momentos, su
relación con ese hombre que llegó a su vida, no admite interrupciones así como cuando los niños requieren de cierta atención,
tampoco se admiten interrupciones. Si a final de cuentas, usted
decide casarse con ese hombre nuevo, el anterior precedente le
ayudará a colocar el matrimonio en el centro de la familia.

P.   *Soy una mujer casada, que trabaja y que tiene a una be-
bita de seis semanas. Antes de que la pequeña naciera, había
hecho planes para volver al trabajo cuando la niña cumpliera
tres meses. Pero la verdad es que ahora que la nena nació, he
comenzado a sentir que debo darle más tiempo del que mi
empleo permitiría. ¿Es dañino que una criaturita pequeña
esté separada de su madre por largos periodos de tiempo? ¿Cuál*

es el momento ideal para que una madre vuelva al trabajo si la verdad es que la familia no necesita del ingreso de un sueldo adicional?

R. Los estudios de vinculación entre padres e hijos señalan que durante la infancia se requiere una dosis importante de interacción paterno-filial para el desarrollo psicológico sano. Burton White, autor de *"The First Three Years of Life"* asegura que, en general, los niños deben ser atendidos al cien por ciento por sus padres hasta no menos de los tres años de edad. Se opone a las guarderías hasta que los pequeños hayan cumplido por lo menos los tres años. Otros psicólogos están de acuerdo en que no hay substitutos paternos o maternos adecuados durante los primeros meses de vida, aunque manifiestan que no es grave el peligro de dejar a los pequeños que comienzan a caminar con gente capaz y competente.

Lo ideal es que los padres se hagan cargo absoluto de sus pequeños hasta que hayan cumplido no menos de un año de edad. En los casos en que es económica o emocionalmente imposible, permanezca al lado de su criatura no menos de seis semanas y regrese a trabajar tiempo parcial. Es indispensable que, al hacerlo, busque una guardería con personal *muy capacitado* donde haya atención INDIVIDUAL, o de no más de cinco pequeños por cuidadora o cuidador.

Algunas de las preguntas que deben hacerse los padres al decidirse por una guardería son: ¿El instituto ocupa gente capacitada o simplemente contrata "nanitas" de la calle o por cualquier anuncio del periódico? ¿Tienen suficiente material y variedad de juegos? ¿Tienen una área de juegos amplia, segura e interesante? ¿cuáles son sus políticas de disciplina?

Sería importante quedarse una mañana completa para ver cómo funciona la guardería antes de confiarles a los pequeños.

P. *¿Es verdad, como lo piensa mucha gente, que la máma es más importante que el papá en el proceso de criar a los pequeños:*

R. Nosotros los padres *somos tan importantes* como las madres. Infortunadamente, la mayoría de la gente sigue actuando como si la crianza fuera, básicamente, "trabajo de mujeres". Como resultado, hay una tendencia general a desconocer o reducir al mínimo la importancia de los padres.

El resultado de ésta situación desequilibrada *es que las madres se sienten más responsables por sus hijos de lo que realmente son, mientras que los padres se sienten insignificantes o excluidos.* Peor aún: Algunos padres utilizan ese mito para hacerse cómodamente a un lado. *Es así como muchas madres, aunque estén casadas, funcionan como solteras o solas.*

No cabe duda de que hay diferencias en la forma en que padres y madres se relacionan con los niños y en cómo interactúan con ellos. Las diferencias están relacionadas con su psicología, biología, expectativas culturales y consideraciones prácticas. Por ejemplo, en todas las culturas y las épocas, las madres han actuado como padre prioritario durante los primeros meses y la infancia inicial. Este arreglo tiene sentido enfocado desde varias perspectivas, incluyendo el hecho de que las mujeres tienen una capacidad natural para alimentar a los pequeños y los padres carecemos de ella.

Pero como quiera que sea, y desde el primer momento, los padres tenemos un papel importante. Los estudios han demostrado que los niños en edad preescolar cuyos padres están involucrados con ellos, son más seguros y más desenvueltos, que aceptan con más facilidad los cambios, los retos y son mucho más adaptables. Son niños que tienen mejores calificaciones en la escuela, se llevan bien con sus compañeros y tienen una dosis mayor de autoestima.

En *"Never Cry Wolf"* el naturalista Farley Mowat nos muestra un panorama muy perceptivo de la familia de los lobos, que es una de las pocas unidades monógamas del reino animal. Los cachorros del lobo jamás se alejan de su madre, que los alimenta y los protege hasta su adolescencia, cuando el lobo macho adopta el papel de padre principal. Enseña a los lobitos a cazar, a matar y a sobrevivir en un medio ambiente casi siempre hostil. En otras palabras, el macho dota a sus pequeños con las habilidades que requiere para ser autosuficientes.

Después de leer el libro de Moway, me surguió el pensamiento de que tal vez los seres humanos haríamos bien en adoptar la lección que nos dan los lobos. Yo estoy cierto de que los niños necesitan más de mamá que de papá durante la infancia. También estoy convencido de que conforme van creciendo junto con su necesidad de autonomía, la figura masculina se vuelve muy importante.

Ya me parece escuchar el grito de " ¡Rosemond es un chauvinista! ¡Dice que una mujer sola es incapaz de educar a un niño!"

No soy chauvinista. Respeto profundamente la capacidad femenina. Pero soy realista. Sostengo que, inherentemente, la mujer está mejor capacitada que el hombre para ciertos aspectos de la educación, y viceversa. Sólo digo que las características respectivas son mejores que otras para ciertas áreas y épocas del desarrollo de los hijos. En el mundo de la realidad, padres y madres contribuyen de modo distinto a la "plenitud" de sus hijos. La educación es más sencilla cuando dos padres trabajan juntos que cuando lo intenta uno solo, del sexo que sea. *Esto no significa que el padre o la madre solos no puedan hacer un* trabajo espléndido de educación. Favor de observar que dije "dos padres que trabajen juntos", no dije "papá y mamá".

Tampoco digo que todos los hombres podemos ser estupendos padres si se nos da la oportunidad. ES RESPONSABILIDAD DEL PADRE BUSCAR LAS OPORTUNIDADES PARA SOSTENER UNA RELACION SANA Y CREATIVA CON SUS HIJOS. Si no lo logra, si no se esfuerza, JURO QUE NO FUE CULPA DE MAMITA.

P. Mi esposo y yo nos casamos cuando ambos teníamos más de treinta años. Ahora, cinco años después, somos padres de un pequeñito de dos años de edad. Tentativamente, hemos decidido no tener más hijos. Siendo muy franca, le diré que ya no sentimos la energía necesaria para otro bebé a estas alturas de la vida. Quiero saber si tiene usted alguna recomendación o si le preocupa el asunto de los hijos únicos.

R. Suelo darle ciertas advertencias a los padres que tienen un solo hijo.

Primera: Por así decirlo, dado que los padres se lo juegan todo a una sola carta, el hijo único suele recibir más atención que si hubiera otro o más niños en la familia. Si la atención es excesiva, el daño también: en especial para el pequeño. Como señalé anteriormente, el exceso de atención es adictivo y va en detrimento del desarrollo de la independencia y de la autoestima.

El exceso de indulgencia también conduce a conductas asociadas al típico "niño malcriado", al que exige cosas irrazonables, el que actúa como si estuviera a punto de morir por "hambre de atención", el que tira unas pataletas fenomenales, que actúa con falta de respeto y desobedece.

El terrible mito de la década de los sesentas y los setentas se
refería a que los niños necesitan dosis muy elevadas de atención
de sus padres. Excepto por los primeros años de la vida ES
MENTIRA. Los niños requieren atención, pero *ofrecerla en
dosis desproporcionadas sofoca su desarrollo y su crecimiento
emocional.*

Mi segunda advertencia se refiere a algo que escucho a menudo de labios de los padres que tienen un hijo único: "Es más
sencillo llevarlo a dondequiera que vayamos". A primera vista,
este grado de cercanía padres-hijo puede parecer deseable, *pero
si lo analizamos, no lo es.* Como resultado de verse incluído en
tantas actividades DE ADULTOS, el niño comienza a percibir
el matrimonio como UNA UNIDAD CONSTITUIDA POR
TRES PERSONAS, *que gira alrededor suyo. La dinámica de la
familia hace difícil, por no decir que imposible, que el niño
sobrepase su egocentrismo infantil.* Asímismo, en función
directa del grado en que se trata al nene (y en que él se considera a sí mismo) como a un igual, a los padres LES SERA MUY
DIFICIL ESTABLECERSE COMO FIGURAS DE AUTORI-
DAD. Dado que los límites que debe haber entre el niño y la
pareja resultan borrosos, la criaturita tendrá problemas para
establecer un sentido claro de su propia identidad.

*El "Síndrome del Hijo Unico" crea su propio conglomerado
de problemas de conducta.* Es típico que incluya interrumpir la
conversación de los adultos, que exijan se les incluya en las
actividades de los mayores, que ‘haya problema· en separarse
de sus padres, que QUIERAN TOMAR PARTE EN LA AC-
CION cuando sus padres tienen algún rasgo de afecto mutuo; y
que sean criaturas desobedientes, irrespetuosas que siempre
exigen ser el centro de la atención general.

A pesar de los gritos y sombrerazos que caracterizan la relación entre hermanos, se ayudan unos a otros a aprender cómo compartir y resolver los conflictos. *Es usual que el hijo único tenga problemas terribles en esas áreas de compartir y resolver. Cuando el hijo único se encuentra entre otros niños,* se muestra posesivo con sus cosas y quiere que todo se haga a su manera.

Lo anterior se agrava porque ya que se le incluye en muchas actividades de adultos, el hijo único suele estar más socializado con los adultos que con sus contemporáneos, quienes perciben su actividad de "superior y sabelotodo".

Un poco de prevención puede evitar que se desarrollen los problemas anteriores:

- - - Centrar a la familia alrededor del matrimonio o de los derechos del padre/madre solos.

- - - Limitar la participación del nene en actividades para adultos.

- - - Inscribir al pequeño en una guardería ANTES QUE HA-YA CUMPLIDO TRES AÑOS.

- - - NO APAPACHAR AL NENE CON DEMASIADA ATEN-CION O JUGUETES.

P. *¿Qué sugerencias puede proporcionarle a los padres de un hijo único de cinco años, adicto a la atención, a la televisión y a los juguetes? Es muy impositivo y se fastidia con facilidad. En vez de jugar con otros niños de la colonia, quiere ver la tele o exige que juguemos con él. Si hemos de salir, va con nosotros o se queda con sus abuelos. Querríamos subsanar el daño que le hemos hecho, pero no sabemos donde comenzar ni que tan rápido proceder.*

R.   Ustedes no han hecho ningún daño irreparable: sólo
sentaron ciertos precedentes que no favorecen a nadie: Tienen
que desmantelarlos y reemplazarlos por otros más funcionales.
Hacer los importantes cambios en esta área, requiere un enfoque
estratégico y bien organizado. Si han decidido hacerlo, les
ofrezco algunas sugerencias:

Limítenle la televisión a *no más de media hora*. Entre más
tiempo pase ante la pantalla, menos oportunidades tendrá de
ser creativo con respecto a cómo ocuparse y divertirse. Al
apagarle la tele, lo obligan a buscar otras formas de llenar su
tiempo. Al principio, exigirá que ustedes lo hagan, de modo
que. . . :

Limiten la cantidad de tiempo que juegan con él a dos
periodos de quince minutos al día, en la mañana y en la tarde.
Cuando les pida que jueguen con él, ponga el reloj marcandor de
la estufa en quince minutos y, una vez que haya transcurrido el
tiempo y suene el reloj, discúlpense y vuelvan a lo que estaban
haciendo. *Lo anterior no significará que están a su servicio y
llamado absoluto dos veces al día.* Si les pide que jueguen
en un momento inconveniente, explíquenle que tendrá que
esperar. Si chillotea o discute, envíenlo a su habitación por
quince minutos.

En tercer lugar: Dejen de llevarlo con ustedes a dondequiera
que vayan. Cuando salgan al cine, a cenar o a cualquier parte,
déjenlo con una sirvienta o una nana en vez de confiarlo a alguien de la familia. Contraten a alguna chica seria y responsable
que se haga cargo del nene por lo menos una noche a la semana
para que usted y su esposo puedan salir solos: Comprender que
no es parte del matrimonio, le ayudará al niño a desarrollar su
independencia y un sentimiento claro de identidad personal. A
largo plazo, esto es un requisito previo para la emancipación
exitosa.

En cuarto lugar: ¡Redúzcanle el inventario de juguetes! El niño de alrededor de cinco años debe tener pocos juguetes de los que venden en las tiendas y en su mayoría conviene que sean juguetes para construir. Los juguetes adecuados (en cantidad reducida) promueven la iniciativa, la creatividad y el desarrollo de los recursos personales.

Prepare al nene sentándose con él alguna tarde para decirle, *de manera suave pero firme, qué cambios van a ocurrir.* Si pregunta por qué razón se hace, respóndale: "Esto es lo que ocurre cuando los niños cumplen cinco años." Cualquier otra explicación compleja tenderá a confundirlo y a hacer pensar que hizo algo malo.

Posteriormente, si se emberrincha por alguna de las formas nuevas de vida, dígale: "¿Te acuerdas de cuando hablamos? Este es uno de los cambios que te anuncié".

Y por último: No es realmente necesario hacer todo esto paso por paso. Si hace los cambios de golpe, el pequeño se ajustará con mayor rapidez.

P. *Soy una madre sola con un niño de nueve años. Mi exesposo y yo nos divorciamos cuando Robbie tenía tres años. Hace poco, decidí volver a casarme con un hombre con quien había estado saliendo desde hace dos años. El está divorciado y no tiene hijos. Lleva una buena relación con Robbie, lo cual fue uno de los factores que tomé en consideración para aceptar un nuevo matrimonio. ¿Qué problemas podemos encontrar en nuestra nueva familia?*

R. Usted y su pareja están a punto de crear lo que se señala como una "segunda familia", en la que uno de los participantes es el padrastro o la madrastra. Esta situación se da cada vez con mayor frecuencia.

En realidad, hay dos tipos de familia: La primaria y la secundaria. La primaria incluye al padre que tiene la custodia de los pequeños, que visitan pero no habitan con la familia secundaria. Dado que la mayoría de las madres conservan la custodia de los pequeños, la mayor cantidad de familias segundas del tipo primaria está encabezada por una madre y un padrastro.

La familia de tipo secundario se enfrenta con una serie de problemas que no aparecen en la familia original. Los retos más grandes son: *Establecer al matrimonio como a la unidad central de la familia y, colocar al padrastro como a una figura de autoridad.*

Desafortunadamente, en gran parte de los casos, no se establecen ciertos precedentes antes de la boda y todo interfiere con el cumplimiento de las dos metas mencionadas.

Sucede que, a raíz del divorcio, la madre se convierte en figura única. Ya que no tiene esposo, su relación con los hijos puede convertirse en la más importante del mundo. Con fuerza creciente *la madre se va dedicando en cuerpo y alma a criar a sus hijos* y los niños *dependen más y más de su atención.* Entre ellos se desarrolla un "pacto" no escrito que implica: "Tu satisfaces mis necesidades y yo las tuyas".

El galán, que a la brevedad percibe la fuerza de la relación madre-hijos, suele adoptar la actitud de "Si no puedes vencer a tu enemigo, únete a él". Consciente o inconscientemente, comienza a cortejar, no sólo a la madre sino también a los niños. Trata de convertirse en su amigo, en "un buen tipo". No anda errado al pensar que para obtener el "Si" de la mamá, primero tiene que obtener la aprobación de los peques.

Cuando finalmente se casan, todo sigue funcionando alrededor de los hábitos anteriores. . . que ya no funcionan *La ma-dre tiene dificultades muy graves para trasladar su relación primaria con los hijos a una relación primaria con su esposo.* El resultado es que el marido comienza a sentirse como la tercera rueda de una bicicleta.

Para empeorar la situación, el *padrastro tiene que hacer un rápido cambio de velocidades para convertirse de "un buen tipo" en un padre, lo cual provoca ansiedad, confusión y hasta cólera en toda la unidad familiar.* Si trata de imponer alguna disciplina, los nenes corren a los brazos de mami alegando que "ese horrible hombre. . . etcétera". Ella responde con actitud protectora acusándolo de ser demasiado rígido o de "desquitar sus celos" con los pequeñitos. Y el carrusel comienza a girar y, cuando se detenga ¡sólo Dios sabrá como estén las cosas!

Todo esto puede evitarse, o por lo menos reducirse mucho si al planear la nueva familia se tienen en consideración dos factores importantes:

- - - **Primero:** *El matrimonio debe ser la relación más importante de la familia.* En este aspecto, la segunda familia no se distingue de la primera familia.

- - - **Segundo:** El padrastro *debe* asumir una autoridad idéntica a la de la madre natural quien, por anticipado, deberá estar de acuerdo en compartir dicha autoridad con su nuevo cónyuge.

Siempre es mejor la medicina preventiva que la curativa. Inviertan el tiempo que sea necesario en discutir entre ustedes y anticipadamente qué harán para evitar estos problemas y cómo van a manejar los que se presenten dentro de la relación de familia.

P.   *¿Qué debe hacerse cuando se suscita una discusión entre*

la pareja y frente a los niños? Nosotros hacemos hasta lo impo-
sible por evitarlo, pero ocasionalmente se nos dispara y los
niños, que tienen cuatro y siete años, nos escuchan. Parece que
los pequeños se inquietan y nos sentimos culpables. El peque-
ñito ocasionalmente nos ha gritado "¡Basta!" Cuando sucede
(y no es frecuente) dejamos de discutir para disculparnos con el
nene. Dado que ninguno de nosotros dos presenció discusiones
paternas, no nos sentimos seguros en esta área de la relación con
los niños. ¿Puede hacernos alguna sugerencia?

R.   Para empezar, les sugiero que no se alteren si alguno de
los niños presencia una discusión. Para seguir, les recomiendo
que no permitan que cualquiera de los pequeños interrumpa el
alegato.

El desacuerdo es un aspecto natural e inevitable de las relacio-
nes humanas. Las probabilidades de desacuerdo cuando aumenta la intimidad, van en aumento. Usted no puede consolidar un
matrimonio sin desacuerdos, pero puede evitar *las discusiones,*
que son las confrontaciones y el manejo de una situación en
LA QUE HAY DESACUERDO. . . *Cuando dos personas no se*
enfrentan a los desacuerdos con que ¡INEVITABLEMENTE!
se encuentran una vez que viven juntas, es cási seguro que su
relación no se desarrolle y no madure. ¡Qué mala suerte que
sus padres nunca les hayan permitido ver las realidades de un
matrimonio! *No cometan el mismo error.*

Los niños necesitan aprender, en primer lugar, que las discusiones son parte del matrimonio y que dichas *discusiones no*
destruyen a las personas. También es necesario enseñarles cómo
ser parte de una discusión constructiva con otras personas. Si
no lo aprenden de ustedes, ¿de quién van a aprenderlo?

Dije que los niños deben y pueden presenciar *ciertas* discusiones. Obviamente, los padres discuten algunos puntos que los niños *no deben oír*, trátese o no de un alegato de ajuste. Si quieren que los niños aprendan que las discusiones no necesariamente son destructivas, *ustedes son los responsables de conducirlas de manera civilizada y cortés.* Eso no significa que no se levante un poco el volúmen de la voz, pero no puede haber insultos ni calificativos. Es indispensable ofrecerle a su pareja el respeto adecuado mediante el acto de escucharla con atención, haciéndo un esfuerzo importante para considerar los puntos de vista ajenos y alcanzar una solución en que las dos partes salgan ganando.

Habrá múltiples ocasiones en que desean reservar sus desacuerdos para cuando los niños no estén presentes, aunque es más probable que las discusiones surjan imprevistas y en el curso del día. Si es así y los nenes interrumpen, díganles con suavidad pero con firmeza:

—Simplemente estamos en desacuerdo. Si no les gusta, puede salir de la habitación: Si se quedan, se prohíbe llorar o interrumpir. De otra manera, tendrán que irse a su cuarto.

Si ustedes comienzan a discutir y los niños aparecen súbitamente en la habitación, es porque quieren asegurarse de que todo marcha bien. Asegúrenles que ambos están vivitos y coleando, que intentan seguir igual, y sáquenlos de la habitación.

P.   *Nuestro primer hijo debe nacer en noviembre, y ya estamos discutiendo respecto a los nombres: Los nuestros, no los del pequeño. El hermano mayor de mi marido (al que mi esposo adora y venera), y mi cuñada, permiten que los hijos los llamen por su primer nombre. En consecuencia, mi esposo dice que nuestro hijo debe llamarnos por nuestro primer nombre. La*

*verdad es que no puedo hacerme a la idea de que nuestro hijo/
hija nos diga "John" y "Linda", pero mi marido insiste en que
decirnos "papi y mamá" impide la comunicación y las relaciones de dar y tomar.*

R.   Este desacuerdo sobre cómo debe llamarles el pequeño
es más significativo de lo que parece a primera vista: Indica que
ustedes dos funcionan en frecuencias diferentes con respecto a
su actitud ante la paternidad.

Más aún: Dado que su conducta y actitudes como padres
ejercerán una influencia gigantesca sobre su relación como pareja, es probable que su matrimonio termine en fracaso si no
actúan *ahora mismo* para conciliar juntos su actitud. Por la
razón anterior, creo que no sería malo si ambos se someten a
unas cuantas sesiones de terapia conyugal.

La renuncia de su esposo para aceptar sin reservas los papeles
de "papá y mamá" sugiere que debe haber sufrido problemas
serios en la relación filial, especialmente en función de su padre.
¿Podría decirme si sus padres eran rígidos y fríos? ¿Eran abusi-
vos en el aspecto emocional o en cualquier otro aspecto? ¿Alguno de los padres tenía poblemas de alcoholismo? Durante la
adolescencia o la infancia ¿funcionaba su marido como hermano mayor substituyendo al padre?

Si la respuesta a cualquiera de las interrogantes anteriores es
positiva, le sugiero que su esposo busque a un psicoterapeuta
que le ayude a desenmarañar el dolor y la confusión de su infancia. Tiene que darse cuenta de que el hecho de que un hijo lo
llame "Jim" en vez de "papito" es una compensación, no una
solución de los problemas que experimentó con sus padres.
Como tal, tendrá resultados desastrosos.

Como padres, ustedes dos serán los responsables de propor-

cionarle al niño un equilibrio sano de amor y disciplina firme. Si lo logran, le garantizan al pequeño seguridad y autoestima, para no mencionar su amor y respeto hacia ustedes. La creencia de su esposo respecto a que los términos "mamá y papá" interfieren con la comunicación, *tiene que abordarse ahora mismo:*

"Mamá" y "papá" son términos que contienen tanto amor como respeto. Por contraste, "Jim" y "Linda" no entrañan ni consideración ni amor ni respeto. El hecho de que el nene llame a sus padres por su primer nombre implica que *la relación es democrática.* Eso es excelente entre amigos, pero la relación padres-hijos, no puede ser una democracia. Cuando a través de medios obvios o sutiles los padres intentan crear una ilusión de democracia, *el resultado es el cáos, el desastre absoluto.*

Los términos "papá" y "mamá" también se asocian automáticamente con las respuestas emocionales (confianza, sensación de pertenecer a un núcleo) que son valiosas y absolutamente esenciales para la relación padres-hijos que proporciona seguridad y una dosis elevada de autoestima.

Yo creo que en eso yace una parte importante del problema: Los términos "papá" y "mamá" evocan recuerdos más dolorosos que de amor en su esposo, recuerdos que él preferiría evitar. Yo le sugiero de todo corazón que explore sus sentimientos con más detalle y profundidad, de preferencia en manos de un espléndido psicoterapeuta.

P. *Una estación televisiva entrevistó a un pediatra que escribió un libro sobre "bebés inquietos" La descripción que hizo el médico sobre niños "de alto grado de necesidad" se ajusta al cien por ciento a mi bebé de seis meses de edad. Es un nene activo, alerta, que requiere una dosis importante de estímulo y atención. Si lo acuesto, aunque sea por unos ins-*

tantes, llora desesperado. Comienzo a sentir que ya no tengo
vida personal. De acuerdo a dicho pediatra, debo "llevar puesto
al niño como si fuera un suéter." Cuando el entrevistador seña-
ló que eso no deja sitio para cumplir con otras responsabilida-
des, el pediatra manifestó que satisfacer las necesidades del nene
era más importante que el trabajo doméstico o cualquier otra
actividad. ¿Qué opina, doctor Rosemond?

R.   Estoy de acuerdo con el pediatra respecto a los bebés de
"alto grado de necesidad". También es cierto que si usted frus-
tra repetidamente la necesidad que tiene el niño de atención y
cercanía creará un nubarrón de otros problemas potenciales.

Pero NO ESTOY DE ACUERDO con la afirmación del pediatra respecto a que los niños de alto grado de necesidad requieran
que los traigan "puestos como si fueran un suéter". Esto es
similar a decir que "no se puede echar a perder a un niño" lo
cual, aunque en esencia es cierto, no significa que tenga uno
que correr desesperadamente a levantarlo de la cuna cada vez
que llora: Esto no solo es impráctico con un nene de alto grado
de necesidad, sino que además es innecesario.

Satisfacer las necesidades de su hijo implica que también
queden satisfechas las de usted. Visto de otra manera: USTED
NO PUEDE CUIDAR DE OTRA PERSONA A MENOS QUE
TAMBIEN SE CUIDE A SI MISMA. Los padres que sienten el
deber de dedicarse en cuerpo y alma a sus hijos, exclusivamente,
olvidándose de sí mismos, no tardan en sentirse frustrados y
resentidos. **Lo peor que puede sucederle a una criatura es tener
padres que sienten que sus obligaciones son una carga.**

En algún punto entre el mandato del pediatra respecto a llevar puesto al niño como si fuera un suéter adoptando un estado
de absoluto abandono con respecto a sí mismos, *hay un punto*

de equilibrio donde pueden satisfacerse tanto las necesidades del nene como las de ustedes. No es necesario darle vueltas al hecho de que los nenes inquietos y de alto grado de necesidad requieren mayor atención y cercanía física que los demás. Y en general, es buena práctica responder al llanto de un pequeñito tan pronto como se inicia. Sin embargo, aunque el nene llore porque se le deposita por unos instantes en su cuna o en la cama, no hace daño alguno y es un compás de espera mientras usted realiza aquello que no puede hacer con el peque en brazos.

En otras palabras, si a usted le resulta bien "traerlo como un suéter", hágalo. De no ser así, acuéstelo y haga lo que tenga pendiente. Si abandona la habitación, regrese o llámelo y platíquele en voz alta. Es probable que el sonido de su voz no termine con los llantos, pero el nene tendrá la certeza de que usted anda por ahí, de que no se marcha. Además, hay una sola forma de que sepa que no lo abandonará, y es dejarlo acostadito ocasionalmente mientras usted hace lo que tenga que hacer y luego a su lado.

Durante los próximos meses sucederán algúnas cosas que harán más simple la vida al lado del bebé: Se volverá crecientemente móvil y, de momento, su ansiedad se verá frenada por el hecho de que no puede desplazarse por sí mismo. Usted explorará por él: Le llevará cosas o lo conducirá en brazos para alimentar su curiosidad. De momento, tendrá que entretenerlo, porque el nene con "alto grado de necesidad" no conserva mucho tiempo su interés en una sola cosa. Que le sirva de consuelo que, entre más movilidad tenga el niño, menos dependerá de usted para obtener estímulos y más tiempo tendrá mamita para sí misma.

Alrededor de los ocho meses de edad, el peque adquirirá lo

que se llama "permanencia de los objetos". Actualmente, en su pensamiento, si algo se desvanece de su vida, simplemente deja de existir. ¡Y eso incluye a mamá! Pero en unos meses, se dará cuenta de que llegó para quedarse y tolerará que usted esté fuera de su vista por periodos cada vez más prolongados.

Hasta que ese momento llegue, siéntase libre de ir al baño, lavarse los dientes y la cara, prepararse algo de comer, poner agua a hervir o simplemente sentarse en la sala para reunir sus pensamientos de manera armoniosa. *A pesar de las amenazas del buen doctor, no crea que va a causar daños psicológicos permanentes.*

P. *¿Qué piensa respecto a los niños que duermen con sus padres?*

R. *Generalmente hablando, los niños deben dormir en su cuarto, en su cama.* Bajo ciertas circunstancias, yo violaría la regla. Por ejemplo, no hay daño si el pequeñín duerme en su cuna, en la recámara de sus padres. Tampoco se ocasiona perjuicio alguno si el niño duerme temporalmente en la cama de sus padres si está enfermito o si pasa por una temporada de alto *stress*, como la que sigue a una muerte cercana o un intento de robo o amago de incendio en la casa. Fuera de excepciones como las anteriores, sostengo que *EL NIÑO DEBE ESTAR EN SU PROPIA CAMA A UNA HORA RAZONABLE.*

Dormir en su propia cama, ayuda a establecer que el niño es un individuo autónomo, independiente y con un sentido claro de identidad. Además el hecho de que los padres duerman en una habitación independiente, refuerza el concepto infantil de que el matrimonio es, no sólo una identidad separada dentro de la familia, sino también la relación más importante que existe en el núcleo. *El nene que duerme con sus padres corre*

*el riesgo de no entender lo anterior o de llegar a la conclusión
de que el matrimonio es asunto de tres, no de dos.*

Dormir en habitaciones separadas también establece un precedente importante respecto a la salud de la separación, del
concepto de que el niño es un individuo independiente y autónomo, con un concepto claro de identidad separada de los
padres. No quiero ser repetitivo, pero es importante establecer
que los padres que duermen juntos, pero separados del nene,
mejoran la perspectiva del niño respecto a que el matrimonio no
sólo es una identidad separada, sino también *la relación más
importante dentro del seno de la familia.* El niño que duerme
con sus padres se encuentra en grave peligro de no entenderlo
jamás.

*Dormir separados también establece un precedente importan-
te de separación sana;* Los niños que se separan de sus padres
a la hora de dormir están mejor preparados para alejarse de ellos
bajo circunstancias tales como el primer día de escuela, el
cuidado de otras personas, las clases de natación o gimnasia,
etcétera.

P.   *¿No es cierto que la costumbre de que los niños dur-
mieran separados de sus padres se inició a principios de este
siglo? ¿No es cierto que antes, y desde los tiempos prehistóri-
cos, los niños dormían con o cerca de sus padres? De ser así,
lo condene o no la sociedad, ¿no es más natural que los niños
duerman con sus padres?*

R.   Estoy cien por ciento seguro de que mi postura descansa sobre un terrreno clínico y de desarrollo muy firme, no sobre
una extensión de las expectativas y los prejuicios sociales.

Con respecto a los antecedentes históricos de este asunto,

puedo asegurar que los niños dormían con sus padres sólo cuando no existía otra opción. Por ejemplo, habría sido no sólo, impráctico sino mortal que nuestros antepasados de la edad de piedra hubieran tenido cuevas de dos habitaciones. Tampoco tiene sentido que los nómadas tuvieran tiendas de campaña con dos recámaras o los esquimales perdieran tiempo y energía construyendo iglúes con cuarto infantil. *En todos los países del mundo, encontramos que los padres y los hijos duermen juntos por necesidad, no por gusto o conveniencias.*

El hecho de la prevalencia de ciertas prácticas en el pasado o en culturas primitivas puede calificarse de más "natural", pero "natural" y saludable no son sinónimos.

Estoy seguro de que las características especiales de cualquier cultura en particular dictan la forma en que debe manejarse el problema. En las culturas donde los hijos duermen con los padres, hay otras formas para "cortar el cordón umbilical", y como ejemplo tenemos los ritos de la pubertad... Pero puedo asegurarles que en las culturas occidentales de la actualidad, la separación de padres e hijos a la hora de acostarse es crucial para el abono y desarrollo autónomo... *de los padres y de los nenes.*

P.   *Tengo treinta y cinco años y llevo cinco de estar felizmente casada. Me siento indecisa con respecto a la conveniencia de tener o no tener hijos. A veces pienso que tener un hijo sería espléndido, especialmente a nuestra edad. En otras ocasiones, pienso que no tengo muchos deseos de pasarme los próximos dieciocho años educando a una criatura. ¿Qué interrogantes debemos plantearnos mi esposo y yo para llegar a una decisión?*

R.   Su dilema es cada día más común. La gente pospone cada vez más la decisión de casarse y de tener hijos. Considerando que este asunto es muy emotivo, la felicito por tomarse el tiempo y tener el valor de pensar paciente y racionalmente los pros y los contras.

Es infortunado que nuestras culturas sigan comunicándole a las mujeres que están incompletas si no optan por la maternidad. En lugar de gozar el proceso de criar a los hijos, muchas mujeres se presionan para "ejercer la crianza". Con objeto de demostrar que madres tan conscientes y eficaces son, *acaban dedicándose en cuerpo y alma a niños egocéntricos que no conocen sus límites, que no aceptan un "No" por respuesta y que sienten que la tierra no los merece.*

El hecho de que una pareja *pueda* tener hijos, no significa que *deba* tenerlos. La maravilla de pertenecer a la raza humana estriba, en gran parte, en que cada uno de nosotros está dotado por una enorme gama de capacidades. Si sienten la emoción y la inspiración necesaria para criar niños, háganlo. Si prefieren criar borreguitos, ¡adelante!

Háganse las siguientes preguntas:

—¿Estamos ambos a favor de tener hijos o alguno de nosotros alberga reservas al respecto? *Cuando en vez de llegar unidos a la misma decisión, esta se toma "por el bien de uno de los dos", el matrimonio queda expuesto a daños graves.*

—¿Nos sentimos emocionalmente capaces para contender con la responsabilidad de educar a un hijo cuando tengamos alrededor de sesenta años, o preferiríamos pasar esa edad sin trabas y libres para ir o venir de donde y cuando nos venga en gana?

—¿Nos sentimos capaces de enfrentarnos a la pérdida de libertad y a las obligaciones a largo plazo, tanto económicas como de otros tipos que vienen implícitas con la crianza de un hijo?

—¿Nos gusta estar cerca de los hijos de otras personas o acaban por molestarnos?

—¿Tuvimos infancias felices? He descubierto que la gente tiende a disfrutar la crianza de los niños *hasta el mismo punto en que disfrutó de la infancia.*

También deben considerar que el potencial para ciertos problemas genéticos aumenta con la edad. ¿Están dispuestos a aceptar el alto riesgo de un pequeño con problemas o minusválido? Si desean más información sobre estos riesgos, pidan al ginecólogo que los canalice con un genetista.

UNA ULTIMA PALABRA

Curar, fortalecer el núcleo de su familia, su matrimonio (o si está sola, su propia vida), *es algo que puede comenzar a hacer ahora mismo.* Y una vez que haya comenzado, tendrá que seguir adelante TODOS LOS DIAS. Ponga su matrimonio en primer lugar y será más factible que sea duradero. Si está usted sola, *póngase en primer lugar y no tardará en descubrir que tiene más de sí misma para darle a los pequeños.*

Capítulo Dos

LA VOZ
DE LA AUTORIDAD

Con cierta frecuencia, escucho la misma pregunta:

—John, ¿cómo lograr que nuestros hijos nos obedezcan?

Mi respuesta es simple y directa: *—Si esperan que les obedezcan, lo harán.*

Es común que los padres me miren con asombro y me digan más o menos lo siguiente: —¡Oye, esperamos que nos obedezcan, *pero no lo hacen;* se quejan y discuten. Conseguir que hagan algo, es una guerra civil. ¿Cómo puedes decir que con el simple hecho de *esperar* obediencia se logre como por arte de magia?

Estoy convencido de que la mayoría de los padres esperan que los hijos los obedezcan, y que la mayor parte de los hijos es desobediente. Cuando los padres le dan una orden, *el niño típico* no muestra nada parecido a una actitud dócil y cooperativa. *Se hace sordo, chilla, discute, enfurece, florece en retobos y cositas por el estilo.*

Aquel nene obediente de "Si, papá", "No, mamá", está en vías de extinción. Pero esa situación lamentable no es culpa de los niños. La culpa es de los padres que se la pasan dándole vueltecitas al árbol de la obediencia, temerosos de que se caiga una hoja, de dañar la psique "frágil" del nene. Es culpa de los padres, que en vez de *esperar* realmente que les obedezcan *solamente lo desean.*

La diferencia entre esperar y desear se ubica en la forma en que los padres se comunican con sus hijos... *Cuando el padre ruega, desea que le obedezcan. Cuando se quejan con los niños por su conducta, no hacen otra cosa que DESEAR que les obedezcan. Cuando regatean, sobornan, amenazan o dan una segunda oportunidad y "razonan",* DESEAN QUE LOS OBE-DEZCAN. Todas las anteriores son formas relativamente pasivas de desear, pero las hay más activas y, por lo tanto, menos obvias: Por ejemplo, el padre que pega un manotazo en la mesa, se pone color camote y amenaza al niño recalcitrante con arrearle un moquete, a pesar de la apariencia, DESEA que se le obedezca... Ese padre organiza un berrinche precisamente porque sus deseos no se convirtieron en realidad.

La manera más común de *desear* se manifiesta cuando los padres discuten con el peque. Todas las discusiones con los niños comienzan en una de dos formas: En la primera, *el padre toma una decisión que no le gusta al nene.* El pequeñito tira de la rienda, hace muecas y con una voz parecida al sonido que hacen las uñas sobre un cristal, rechina; *"¿ ¡Por qué!?"* En la segunda, los padres toman una decisión que no complace a su heredero, quien tira de la rienda, hace gestos y chillotea en el mismo tono que hacen las uñas al raspar sobre un pizarrón: *"¡¿Por qué no?!"*

Las discusiones comienzan porque los padres cometen el error de pensar que los nenes están haciendo una pregunta. ¡Pues no! Están extendiendo una invitación para que estalle la guerra. Al aceptar la invitación, los padres meten los dos pies en arena movediza: **Entre más luchen para ser comprendidos, más se hundirán.**

Preguntar es pedir información. Si *"¡¿Por qué?!"* y *"¿ ¡Por qué no!?"* si fueran verdaderas preguntas sucedería una de dos cosas: La primera, es que el niño *escucharía* su respuesta. La segunda es que, después de escuchar la respuesta, generalmente el niño *estaría de acuerdo.* Vamos siendo honestos. ¿Cuando fue la última vez en que, después de escuchar la explicación, más honesta y clara que usted pudo dar, su heredero le dijo, mirándola a los ojos: "¡Ay, mami! ¡Que bueno que me explicaste! ¡Y ya que lo expones en esa forma, *no puedo evitar estar de acuerdo contigo!* ¡Ah, gracias por ser mi mamá!"

¿Qué? ¿Ha sucedido alguna vez? ¡Naturalmente que no! Y no sucederá jamás. No hay padre o madre que pueda ganarle la discusión a un niño. Ganarle la discusión a alguien significa cambiarle la manera de pensar, y como resultado esa persona adquiere un punto de vista nuevo y quizás más maduro... Los niños no poseen lo que se requiere para apreciar y participar en discusiones y para compensarlo adoptan una postura irracional y se aferran a ella como si se estuvieran jugando la vida... De modo que no importa cuán razonables o elocuentes sean los padres, porque *los niños sólo entienden un punto de vista: El propio.*

Discutir exige que haya dos personas: ambas dispuestas a escuchar y a ser escuchadas. Los niños sólo desean ser escuchados. Mientras el padre se exprime las neuronas explicando, los niños sólo esperan la oportunidad para interrumpir. Tratar de explicar el "por qué si" o el "por qué no" de la decisión paterna sirve al único propósito de satisfacer la necesidad infantil de discusión y la paterna de seguir explicando.

Esa es la razón por la que creo en el enorme poder de cuatro palabras, que cuando era niño me enfurecía escuchar. Me encolerizaban a tal grado que prometí que ¡JAMAS SE LAS DIRIA

A MIS HIJOS! Cuando me convertí en padre, guardé la promesa por varios años. Luego, ya al borde de la catástrofe, desperté ante la realidad y violé mi promesa. *Fue así como* ¡**PORQUE LO MANDO YO!** *se convirtió en parte de mi vocabulario de padre.*

Algunas personas sostienen que los niños tienen derecho de conocer las razones en que se basa la decisión de sus padres. Estoy de acuerdo, pero con ciertas variantes: Tienen derecho a saber en términos que puedan entender. Más aún: Tienen derecho a saber sólo si están dispuestos a escuchar. Y a final de cuentas, si la verdad es *¡Porque lo Mando Yo!*, también tienen derecho a saber que *esa es la regla del juego.*

AHORRE SALIVA

Yo tengo una regla que consta de dos partes y que gobierna las explicaciones a los niños. Se llama "EL PRINCIPIO DE AHORRARSE SALIVA".

Primera Parte: Mientras el niño no tenga la madurez necesaria para entender, no existe argumento alguno que logre transmitirle el significado de nuestra explicación. En ese caso, y en el mejor interés del pequeño, los padres pronuncian las cuatro palabras: *¡PORQUE LO MANDO YO!* o algunas similares que signifiquen lo mismo.

Segunda Parte: Cuando el niño tiene la edad suficiente para comprender la situación, también tiene la edad necesaria para comprender nuestras razones sin necesidad de explicárselas.

Mis dos voluntariosos hijos, lanzaban con frecuencia el reto de *"¿por qué?"* y *"¿por qué no?"* Cuando eran pequeños y me había recuperado de mi candor idealista, a menudo les respondía *"Porque lo mando yo".* No gruñía ni les hablaba en tono exasperado: Simplemente los miraba a los ojos sin rastro alguno de amenaza o disculpa. Cuando se convirtieron en adolescentes, mi respuesta era parecida a: "Creo que ya sabes lo suficiente como para responderte tú mismo". Su reacción era fruncir el entrecejo y rezongar: "Ah, claro, lo que pasa es que probablemente piensas que bla, bla, bla". *Casi siempre, el "bla, bla, bla" daba en el blanco y señalaba el que habría sido mi argumento, mi contestación.* Eran lo bastante grandecitos como para conocer mis razones sin necesidad de que les explicara. . . También comprobaba que, a pesar de ello, no estaban dispuestos a mostrarse de acuerdo.

Hubo casos en que *sí* les explicaba, pero *sólo* si estaban dispuestos a escuchar. Cuando no lo estaban (que era casi siempre, sobre todo cuando eran pequeños), les manifestaba: *"No acostumbro hablar con las personas que no saben escuchar".* Y con eso, la explicación quedaba pendiente o definitivamente cancelada. Si protestaban con mucho volumen, los mandaba a enfriarse a su habitación. A lo largo de los años, entendieron que si querían hablar, también era necesario que *escuchasen.* Si escuchaban, casi siempre llegábamos a una avenencia intermedia. De esa manera, traté de enseñarles que *la discusión sin pleito es una de las formas de arreglar las diferencias en nuestro mundo.*

A algunas personas les desagrada la idea de decir *"¡Porque lo mando yo!".* Alegan que eso no es una razón para el niño. No estoy de acuerdo: *No sólo es una razón, sino que con mucha frecuencia,* ES LA UNICA RAZON. Vamos enfrentando el hecho de que *la mayor parte de las decisiones que tomamos los padres es arbitraria:* Hay asuntos que son de preferencia personal, no de validez mundial. Por ejemplo ¿cuál es la razón por la que su hijo debe estar acostado a los ocho de la noche cuando el del vecino, que es un año menor, se acuesta a las nueve? Cualquier intento para explicar esta falta de consistencia se reduce simplemente a *"Prefiero que así sea"* ¿Y por qué le prohíbe a su nene que vaya con la bicicleta hasta la esquina cuando Pepito, que tiene su edad, tiene permiso de llegar tres calles más allá para llegar a la dulcería? Una vez más, la explicación es la misma: *"Porque creo que así conviene".* En otras palabras: ¡PORQUE LO MANDO YO!

Si mis cuatro palabras se le atoran en la garganta intente decir: *"Porque esta decisión debo tomarla yo"* o bien: *"Porque soy tu padre (o tu madre) y tomar este tipo de decisión es parte de mis responsabilidades".* Si a pesar de todo siente que debe dar algún tipo de explicación "correcta", ahorre saliva recortándola a *no más* (y si es posible menos) *de veinticinco palabras.* Tenga presente que aunque usted organice su explicación, lo más probable es que *junior* no esté de acuerdo. Más aún: Puede usted preceder su explicación con: "Bien: Daré por hecho que me estás haciendo una verdadera pregunta y te voy a dar una respuesta. No espero que estés de acuerdo conmigo y tú no debes esperar que yo cambie mis puntos de vista. "Cuando suceda lo inevitable, exprese lo siguiente: "Está bien. Como te dije, no esperaba que estuvieras de acuerdo. Y no voy a cambiar ni la orden ni mi opinión".

EL GOBIERNO DE LA FAMILIA

A fines de la década de los sesenta y principio de los setenta, se publicaron muchos libros sobre la autoestima del niño, y se convirtieron en las "Biblias" para criar a los niños de aquella época. Sus autores sostenían que la única forma de que los niños desarrollaran su autoestima era logrando que sus padres les mostraran un respeto absoluto tratándolos como a sus iguales. Eso significaba que los padres tenían que darle a los hijos voz y voto en el establecimiento de reglas, obligaciones y privilegios. El mutuo acuerdo *era* la forma absoluta de arreglar cualquier tipo de diferencia. Si el nene se portaba mal, sus padres debían apelar a su intelecto y sentido de responsabilidad, explicándole la diferencia entre el bien y el mal. Bajo ningúna circunstancia se facultaba a los padres para castigar al niño por su mala conducta, ya que el castigo violaba el principio de igualdad padres-hijos.

Estos autores sostenían que la única familia psicológicamente sana era la familia democrática. Declaraban que en una familia democrática, nadie tiene más ni menos poder que los demás. Mercadeaban lo que se llamó *"El Arte de Escuchar Activamente"*, que en esencia *prohibía que los padres les dijeran a los hijos qué debían hacer.* En vez de eso, los padres habían de escuchar sin prejuicios el punto de vista infantil, comunicar serenamente sus opiniones y *permitir que el nene asumiera la responsabilidad de sus propios actos.*

Aunque suene muy bonito, la familia democrática fue, es y será siempre una ficción. Si usted lo desea y eso lo hace sentirse bien, puede *fingir* que tiene una familia democrática, pero sólo será eso: Una ficción. La ilusión de democracia se crea y se mantiene con una cantidad inmensa de palabras, discusiones, explicaciones y petición de que los nenes expliquen sus puntos de vista. *Pero si se revisa la retórica y se llega al fondo de las cosas, se descubre una verdad absoluta:* En esa familia llamada "democrática", *siempre hay alguien que tiene la última* _palabra,_ y ese hecho tan simple hace desaparecer todas y cada una de las ilusiones democráticas. _Y esperamos que el de la última palabra sea un adulto, o toda la familia estará en conflicto._

En el mundo de la realidad, no es factible que haya una relación verdaderamente democrática entre padres e hijos. No la habrá por lo menos mientras los hijos vivan en la casa paterna y dependan de sus padres para su protección social, emotiva y económica. _Hasta que el hijo se marche de casa, sólo hay ejercicios democráticos y deberán estar orquestados por los padres ya que de otra manera se perdería todo control._

Y si hemos de hacer analogías entre la familia y los sistemas políticos, la forma ideal de gobierno familiar, la que funciona para los _padres y los hijos,_ es una _"Dictadura Benévola"._ En 1976, cuando comencé a utilizar esos términos, la reacción más común indicaba que la gente sólo captaba el término "dictadura". En consecuencia, se creía que yo les estaba sugiriendo que se convirtieran en padres autoritarios, rígidos y amantes de los castigos. No es ni fue verdad.

La dictadura benévola es una forma de gobierno familiar donde los padres actúan sobre la base de que _su obligación fundamental es proporcionar un equilibrio entre el amor (benevolencia) y la autoridad (dictadura)._ Eso _no es una tiranía:_ Los dictadores benévolos son autoritarios, no autocráticos. No exigen una obediencia silenciosa, militar, pero tomar las decisiones finales. Crean reglas justas y, con suavidad pero con firmeza, vigilan que se respeten. Los dictadores benévolos no sienten un placer sádico por mangonear a sus niños. _Gobiernan porque tienen que hacerlo._ Reconocen que el niño tiene el derecho de ser _bien gobernado_ y que es responsabilidad de los padres el proveer de un buen gobierno. Y por encima de todo lo anterior, dichos padres están cumpliendo con la función de preparar a sus hijos para cuando tengan que gobernarse a sí mismos y a sus propios hijos.

Conforme el niño va creciendo dentro de la dictadura benévola, comienza a *adquirir* mayor responsabilidad y privilegios: *Esto garantiza que para cuando alcancen el fin de la adolescencia y el principio de sus veinte años estén listos para el autogobierno.* Habiendo experimentado en su propia vida el modelo, ya saben cómo funciona. Dentro del encuadre de la disciplina creada para ellos por sus padres-dictadores-benévolos, *los chicos aprenden el valor de la independencia. Aprenden que la independencia no debe tomarse como un regalo gratuito, que es algo que requiere trabajo y esfuerzo y que, en consecuencia vale mucho y hay que cuidar.*

Hay una tendencia muy extendida a conceptuar al amor como una fuerza positiva, y a la autoridad y la disciplina como fuerzas negativas, potencialmente destructivas. Esta noción de que el amor es más valioso en la educación de los hijos que la disciplina, es lo que yo llamo *"El Gran Malentendido".* Los hechos son los siguientes: No puede comunicarse eficazmente al niño el amor si simultáneamente no representa uno la fuente de autoridad eficaz. Además, no se puede disciplinar con efectividad a menos que uno, como padre, sea una fuente de amor auténtico.

La autoridad favorece el amor paternal: Sin ese agente fortalecedor, el amor se vuelve enfermizamente indulgente y pose-

sivo (sobreprotector). Igualmente, sin el efecto armónico del amor, la autoridad paterna se vuelve intolerable. El amor le proporciona a los pequeños la sensación de que pertenecen al grupo familiar. El amor le presta al niño una dirección para canalizar esfuerzos y alcanzar metas; la autoridad le señala la dirección en que debe ir para lograr esas metas. El amor y la autoridad no son polos opuestos, sino dos caras de la misma moneda. El equilibrio que los padres debemos dominar estriba en ser amorosamente autoritario y autoritariamente amoroso. Lograr ese equilibrio es esencial para la autoestima y la seguridad del pequeño y también es la clave para el sentimiento de confianza en nosotros mismos que debemos tener los padres. ESO es todo lo que significa ser un dictador BENEVOLO.

EL RESPETO ES UNA CALLE DE DOS SENTIDOS

En las décadas de 1960 y 1970, los mismos "expertos" condujeron a los padres a creer que los niños obedientes eran "robots" cuya personalidad y autoestima habían sido destruidas por la mano pesada y dura de sus padres. Eso es mentira. Es cierto que los padres pueden atemorizar al niño para que obedezca, pero cabe la probabilidad cercana de que el niño esté pendiente de la primera oportunidad para desobedecer sin que lo pesquen. El miedo no enseña a ser obediente; le enseña a ser malicioso a mentir si es necesario.

Por el contrario, los niños verdaderamente obedientes (los que han invertido cantidades importantes de seguridad y de respeto en la autoridad de sus padres) son los más desenvueltos.

felices y creativos. Es desafortunado que estos expertos en pedagogía hayan pasado por alto esta conexión para centrarse más en la retórica que en la realidad. También es muy infortunado que millones de padres seducidos por esta filosofía sin sentido no hayan logrado ver el contacto estrecho que existe entre la autoridad paternal y la autoestima del niño. Todo esto es más desdichado para los millones de niños sin dirección que fueron las verdaderas víctimas de esa falta de visión teórica.

Aquellos expertos hicieron hincapié en la necesidad de que los padres respetaran las decisiones de sus niños, señalando que el respeto es una calle de dos sentidos. Yo estoy de acuerdo en eso. . . ¿pero no nos dejemos engañar! Los niños muestran su respeto a sus padres obedeciéndoles. Los padres muestran su respeto hacia los niños esperando que obedezcan sus órdenes adecuadas.

EL PODER DE LOS PADRES

A edad temprana, el niño necesita sentirse seguro de que las capacidades de sus padres son ilimitadas. *El sentimiento de seguridad del niño pequeño descansa en el convencimiento de que sus padres son capaces de protegerlo, sostenerlo y cuidarlo ante cualquier situación o circunstancia. Eso requiere que.los padres le transmitan una sensación incuestionable de poder personal, de poder paternal.* Durante muchas décadas, los psicólogos del desarrollo han reconocido que los pequeños creen o quieren creer en la infalibilidad de sus padres. Esta creencia se llama "El Mito de la Omnipotencia".

La visión que el niño tiene del mundo es egocéntrica. Cree que todo existe por él y para él. Sus padres existen porque él tiene hambre, está incómodo o quiere que lo tengan en brazos. Durante más o menos los primeros dieciocho meses de la vida del peque, sus padres cooperan con esa visión descabezada del mundo. Y cooperan porque no tienen alternativa. Cuando el peque tiene hambre, lo alimentan amorosamente porque no puede valerse por sí mismo. Cuando el pañal está sucio, lo cambian porque su hijo no puede limpiarse solo. Cuando está inquieto, lo tranquilizan y le ayudan a dormir. Bajo estas circunstancias, no es extraño que *junior* crea que sus padres existen para servirle.

Pero alrededor del segundo año de edad, los padres inician el proceso de socializar al niño; comienzan a establecer límites y a responder "¡No!" a ciertas exigencias. Este cambio de dirección contradice el concepto egocéntrico infantil. *Al sentir amenazada su seguridad, lucha con energía para que las cosas regresen a su estado anterior.* Esta es la esencia de los llamados *"Terribles Dos Años".* Ese periodo, que va de los dieciocho a los treinta y seis meses, es la etapa peor comprendida y satanizada del desarrollo humano. Es una época frustrante, llena de *stress* y muchas veces confusa en la relación padres-hijo. Pero el conflicto que se presenta y caracteriza esta etapa, no sólo es inevitable sino absolutamente necesario.

La paradoja es la siguiente: Para que el niño desarrolle un sentido perdurable de seguridad, sus padres deben comenzar por hacer que se sienta *inseguro.* Esto se logra conduciéndolo suave pero firmemente, a desmantelar su punto de vista egocéntrico y edificando, en su lugar, un criterio basado en la premisa de que *son los padres quienes dirigen la función.* Si tienen éxito en reemplazar el egocentrismo con "padrecentrismo", el niño adquiere un respeto que va más allá de lo que realmente pueden hacer sus padres. Ante sus ojos, papá y mamá se vuelven *omnipotentes*. Esta percepción refleja la necesidad que tiene el niño de ver a sus padres como si todo lo pudieran y todo lo supieran; de ahí se deriva el hecho de que los padres tienen la obligación de presentarse ante sus hijos bajo esa luz. La idea no es esclavizar al pequeño, sino crear para él una autoridad *no-amenazante* sobre la que pueda apoyarse, en la que pueda confiar.

El "padrecentrismo", que es el sentimiento del niño respecto a que sus padres controlan a un mundo que él *no puede controlar*, integra los cimientos de un sentido de seguridad nuevo y más funcional. Sobre esta base sólida, el niño puede empezar a construir una competencia creativa en tres terrenos: Intelectual, social y emocional. El establecimiento del "padrecentrismo" deja libre al pequeño para concentrarse en su propio desarrollo sin necesidad de preocuparse en qué acontecimiento impredecible va a ocurrir de un momento a otro. Por eso es tan importante la consistencia de la disciplina.

CONSISTENCIA

La consistencia de la disciplina es parte integral del esperar que los niños obedezcan. Así vista, la consistencia hace posible que el pequeño pronostique las consecuencias de su conducta. La capacidad para anticipar las consecuencias y ajustar su conducta de acuerdo a ellas es esencial para el desarrollo de la autodisciplina, que es la meta esencial de la disciplina paterna. *Por ende, la disciplina sin consistencia no es disciplina: Es confusión.*

La disciplina es mucho más que un acto ocasional. Es un tema que debe persistir en todos los aspectos de la relación padre-hijos. Para disciplinar con eficiencia, los padres deben ser *un modelo de autodisciplina.* La consistencia es el estándar contra el que debe medirse la autodisciplina, y el padre inconsistente es indisciplinado. Sus intentos de disciplinar son como los de un ciego que quiere conducir a otro ciego.

Los padres crean reglas y los niños las ponen a prueba. Después de todo, esa es la única vía que tiene el niño para descubrir si la regla realmente existe. Decirle al nene "esto es una regla" no es muy convincente. Los niños son pensadores *concretos:* es necesario demostrarles que algo existe.

De modo que, cuando el niño viola una regla, los padres tenemos obligación de imponer algún tipo de disciplina. Esto capta la atención del niño y le indica "Te estamos diciendo la verdad". Por lo tanto, *la consistencia es una prueba de que el niño puede confiar en sus padres.* Entre más siente el peque que puede creer en sus padres, más seguro se encuentra. Pero si rompe una regla y en vez de obligarlo a que la cumpla o castigarlo por ello, los padres amenazan, se ponen morados de tanto hablar o se encolerizan pero no hacen nada al respecto, el niño se ve obligado a poner a prueba la regla una y otra vez. Este tipo de "comprobación" excita al nene y desperdicia el tiempo y la energía que el pequeñito podría estar invirtiendo en actividades creativas, constructivas y maduradoras. Dado que la consistencia alivia al niño de la carga de poner repetidamente a prueba las reglas que se le imponen, le ayuda a convertirse en todo aquello que tiene capacidad de ser.

El niño que puede pronosticar las consecuencias de sus actos, va "al volante" de su autodisciplina. Sabe muy bien qué le va a suceder si hace "esto o aquello" y aprende a maniobrar por sí mismo en el tráfico de la vida. *La inconsistencia es como la señal de un semáforo que cambia impredeciblemente del rojo al verde, de vuelta continua a alto total.* La inconsistencia hace que los niños tengan "accidentes" disciplinarios. En cambio, la consistencia *les ayuda a adquirir un control responsable de su propia vida.*

AUTODISCIPLINA, SEGURIDAD, CAPACIDAD Y RES-PONSABILIDAD. SON LA RAIZ DE LA AUTOESTIMA. por eso es vital que haya CONSISTENCIA.

Los niños con padres inconsistentes habitan un mundo de límites que cambian constantemente y con la misma constancia, ésos pequeños ponen a prueba a sus pabres. Esa prueba constante es lo que llamamos "desobediencia". Si los actos de los padres son inconsistentes, no coinciden con sus palabras y sus órdenes, el niño descubre que sus padres no son dignos de confianza ni capaces de protegerlo del mundo. *De modo que, en un intento por reducir su inseguridad, el nene trata de controlar por sí mismo al mundo que lo rodea.* Durante este proceso, el pequeño se vuelve egocentrista, exigente, irrespetuoso, desordenado y muchas cosas más. Con gran rapidez, eso se convierte en un círculo vicioso que el pequeño no puede romper por sí mismo. **Entre más inconsistentes demuestran ser sus padres con respecto a sus fallas de conducta, más demuestran su incapacidad para controlarlo.** A su vez, el pequeñito se siente más inseguro y su conducta se torna cada vez más agitada e inadecuada. Al empeorar su conducta, empeora la inconsistencia de sus padres. Y siguen dando de vueltas como un carrusel hasta que los padres del pequeño aprenden el arte de la dictadura benévola. Cuando los padres anteriormente inconsistentes toman por fin el control de un niño indisciplinado, ese pequeñito experimenta un sentimiento de alivio y seguridad. Pero la verdadera fórmula de no tener que forcejear por el timón con un nene indisciplinado es *dar por hecho que el niño obedecerá las órdenes.*

Para ilustrar la importancia de la consistencia, consideremos el trabajo de un réferi de baloncesto: El trabajo del réferi consiste simplemente en hacer que se cumplan las reglas, de manera consistente y desapasionada.   Imaginemos el caos que se desataría si cada vez que se viola una regla, el réferi se quejara, amenazara, diera una segunda oportunidad y ventilara sus frustraciones haciendo una pataleta digna de un circo de tres pistas.   Vamos a visualizar un partido así:

Un jugador de El Equipo Rojo toma el pase de uno de sus compañeros y se acerca a la canastilla tratando de centrar una entrada.   Cuando se va acercando a la meta, un jugador de El Equipo Azul le mete una zancadilla al oponente y lo deja estirado en el suelo sin trámite o ceremonia. De inmediato, el réferi acciona su silbato y, cuando se detiene el partido, señala al ofensor con un índice flamígero:

—¿Fue un accidente o le metiste el pie intencionalmente?

El jugador de El Equipo Azul, lo mira con expresión de borreguito inocente: —Le juro que fue un accidente.   No hubo mala intención.

—Está bien— responde el réferi— Esta vez lo dejaré pasar por alto, pero no quiero que vuelva a suceder.

El próximo incidente ocurre cuando un jugador de El Azul quiere lanzar un tiro de esquina.   Antes que pueda hacerlo, un jugador de El Rojo le brinca por la espalda, lo toma del brazo e impide que pueda hacer su lanzamiento.   Nuevamente, el réferi hace sonar su silbato, detiene el juego y se enfrenta al culpable.

—¿Cuántas veces te he dicho que no hagas eso? —pregunta con tono exasperado.— Quiero decirte que estás a punto de agotarme la paciencia. *¡Te aseguro que la próxima vez que lo hagas, voy a hacer que lo lamentes!*

No tarda en presentarse otra infracción y un nuevo enfrentamiento.

— i i ¿Por qué hiciste eso?!!— aúlla el réferi.

El jugador clava los ojos en el piso y se encoge de hombros
—No sé.

— ¡En el nombre de Dios! ¿Qué voy a hacer contigo?— Chilla el réferi, apretándose la cabeza con las dos manos.

Al avanzar el tiempo, los *fáuls* se vuelven más obvios y más frecuentes. Con todos ellos, la reacción del réferi es la misma: Regaña, amenaza, se queja, etcétera. Ocasionalmente, sanciona con un *penalty*, pero lo hace después de organizar un drama con un gran despliegue de escándalo verbal y con una actuación dramática digna de un Oscar.

A final de cuentas, el partido resulta una desgracia, un "hazle cómo puedas". Los jugadores se empujan, se meten zancadillas y hasta se golpean unos a otros con tal de obtener el manejo del balón. El réferi corre por todas partes, con el rostro encendido y sudoroso, cada vez más angustiado. Finalmente, cuando el desorden llega a su intensidad absoluta, el réferi se retuerce en diez direcciones distintas a la vez y aúlla: i i Estoy harto!! —y fija los ojos afligidos en el cielo. Y ahí lo dejamos, clamando a Dios que lo alivie de su espantosa carga.

Esta descripción puede sonar conocida, ya que tipifica el "tono" disciplinario de muchas familias. *Los niños ponen a prueba las reglas, los padres maldicen, amenazan, ruegan y se quejan según van sintiéndose más y más frustrados.* Finalmente, se dan por vencidos en un espasmo desesperado. Durante un lapso breve, reina el silencio. Luego, con lentitud, los niños salen del "escondite" y la bola de nieve reinicia su descenso cuesta abajo.

La inconsistencia hace que los niños jueguen en forma muy parecida a la de los apostadores compulsivos en los juegos de azar. Los jugadores compulsivos siguen jugando aunque estén perdiendo hasta la camisa, precisamente porque no pueden predecir cuándo van a ganar. Esta actitud errática acelera la fantasía perpetua de que "Doña Suerte" puede estar a la vuelta de la esquina. *De igual manera, la disciplina impredecible hace que los niños sigan apostando a salir impunes de la mala conducta.* La única diferencia entre los jugadores compulsivos y los niños es que a los primeros se les acaba el dinero y el crédito, pero *a los niños no se les* termina la energía.

Los padres que realmente esperan obediencia de los niños, los disciplinan de manera consistente y desapasionada. En consecuencia, la disciplina jamás se convierte en "Algo Terrible", en un objeto con que los padres tropiezan constantemente. La actitud realista respecto a la disciplina crea una atmósfera tranquila y relajada en la que cada quien sabe qué esperar, en donde el lugar de cada uno está muy claro. . . Esto permite que la vida en familia sea lo que debe ser: *Armonía y tranquilidad.*

LA COMUNICACION

Esperar que los nenes obedezcan, tiene mucho que ver con la forma en que los padres les comunican sus instrucciones. Como señalé anteriormente, la mayoría de los padres comunica sus instrucciones de un modo plañidero, de "yo quisiera que..." Ruegan, regatean, discuten, amenazan, y cuando llegan al extremo de su resistencia, ¡PAU!, explotan. Este estilo disciplinario crea y perpetúa una atmósfera de tensión e incertidumbre dentro de la relación padres-hijos.

Al darle instrucciones a los peques, los padres deben ser enérgicos, concisos y concretos. Los siguientes puntos son el ECC de la Buena Comunicación:

SEA ENERGICO: Hable directamente al nene y anteceda sus órdenes con instrucciones autoritarias tales como "Quiero que..." "Debes hacer..." En dos palabras, no le ande dando vueltas al asunto. *Si quiere que el niño haga algo, dígaselo en términos reales.* Entre menos realistas sean sus términos, más irreales serán los resultados.

SEA CONCISO: *No utilice cincuenta palabras donde sirven cinco.* A casi todos nos sermoneaban cuando éramos niños, y todos odiábamos los sermones. Todos sabemos por experiencia que tan pronto como comienza el sermón, se funde algún transistor en el cerebro del nene, y se le cierran los oídos.

SEA CONCRETO: *Hable en términos reales más que abstractos.* Use un idioma que se refiera al comportamiento específico que está ordenando, no a la actitud abstracta: "Quiero que esta mañana te portes bien en la iglesia" es algo vago e intangible. Utilice un idioma que se refiera a la *conducta con-creta* que usted espera, no a la *actitud.* "Quiero que te me por-tes bien en la iglesia el día de hoy" es algo vago, abstracto, a diferencia de "Ahora que vayamos a la iglesia quiero que per-manezcas sentado y quieto junto a mí", lo cual es claro y con-creto. *Cuando los padres dejan dudas en la mente del nene con respecto a qué es exactamente lo que esperan de él, pueden contar con que el niño se dará a sí mismo el beneficio de la duda.*

Algunos de los errores más comunes de comunicación que cometen los padres, incluyen:

—*Emitir las instrucciones como si fueran preguntas:* Eso implica que hay alternativas donde las alternativas no existen:

MAL.- "¿Qué tal si recoges tus juguetes para que nos poda-mos ir a la cama?"

BIEN.- "Ya casi es hora de irse a la cama. Recoge tus jugue-tes y guárdalos."

—*Frasear las expectativas en términos abstractos en vez de hacerlo en palabras concretas.* Utilizar palabras tales como "niño bueno" "niño responsable" y "niño encantador" deja abierto a interpretación el significado real de las palabras pater-nas".

MAL.- "Quiero que seas *bueno* mientras estamos en el super"

BIEN.- Mientras estemos en el super, quiero que camines a mi lado y pidas permiso antes de tocar cualquier objeto.

ENSARTAR LAS INSTRUCCIONES JUNTAS COMO SI
FUERAN CUENTAS DE UN COLLAR. La mente de un peque
menor de cinco años, tiene dificultades para *"retener" más de
una orden a la vez*. Con los nenes mayores de cinco pero meno-
res de once, lo mejor es no dar más de dos órdenes a la vez. Si
no le resulta conveniente dar las órdenes una por una, dele una
lista al nene. Si todavía no sabe leer bien, hágala con dibujos.

MAL.- Hoy quiero que arregles tu habitación, saques la basura, le des de comer al perro, recojas los juguetes del sótano y me
ayudes a embodegar estas cajas.

BIEN.- Lo primero que harás hoy es limpiar tu habitación.
Cuando termines, me avisas y ya te diré qué sigue.

PRECEDER LAS INSTRUCCIONES CON UN "VAMOS
A. . ." Esa es otra forma pasiva y falta de autoridad en la que
algunos padres tratan de establecer la comunicación. Cuando
espere que el nene haga algo por sí mismo, *dígaselo*. No confunda la situación ni le abra la puerta a la resistencia implicando
que usted está dispuesto a participar en la tarea.

MAL.- Vamos a poner la mesa. ¿De acuerdo?

BIEN.- Ya es hora de que pongas la mesa.

APOYAR SUS INSTRUCCIONES CON EXPLICACIONES
Y MOTIVOS: Expresar la razón hasta el final atrae la atención
del niño a ella.

MAL.- Es hora de que te bajes de columpio para que nos vayamos a la casa.

BIEN.- Es hora de irnos a casa. Bájate del columpio y vámo-
nos.

"CONVERTIR A LA INSTRUCCION EN UNA "PRESEN-
TACION DE VENTAS". Eso puede funcionar con los niños
pequeñitos, pero cuando la criatura tiene cuatro o cinco años,
ya se sabe la técnica y aumenta la probabilidad de que no obedezca.

MAL.- ¡Oye, Sissy!   ¡Adivina! Mamá hizo algo rico para
cenar. Despidámonos de Cindy y vamos a ver qué sorpresa nos
tiene mamita.

BIEN.- Ya es hora de cenar. Despídete de Cindy y entra a la
casa.

DAR INSTRUCCIONES DENTRO DE UN TIEMPO A-
BIERTO A LA ELECCION.

MAL.- Billy, quiero que cortes el pasto cuando tengas oportunidad el día de hoy.

BIEN.- Billy, quiero que cortes el pasto hoy mismo y que
esté arreglado cuando yo vuelva a las seis de la tarde.

EXPRESAR LAS INTRUCCIONES COMO SI FUERAN
DESEOS. Eso sólo nos conduce a quejas sobre la desobediencia del pequeño. Los niños no conceden deseos como los genios
de los cuentos de hadas.

MAL.- Me gustaría que dejaras de masticar con la boca abierta.

BIEN.- Deja de masticar con la boca abierta.

¡TRACE UN PLAN!

Esperar que los niños obedezcan también incluye tener un plan sobre qué hacer si desobedecen. El secreto de una disciplina casi completamente libre de frustraciones incluye, primero, tener un plan, y luego, llevarlo a cabo a como dé lugar.

La mayor parte de los padres pretenden disciplinar con las vísceras y, en consecuencia, cuando los nenes se portan mal, los padres actúan más con emotividad que con sentido común. Si los negocios se condujeran de esa forma, caerían en la quiebra en un abrir y cerrar de ojos. Para obtener utilidades, cualquier negocio debe funcionar de acuerdo con un plan. Sus gerentes deben prever los problemas potenciales y planear estrategias para contender con ellos en caso de que se presenten. En el caso de los padres que valoran la disciplina eficiente, debe suceder lo mismo. También los padres tienen que prever los problemas y estar listos para enfrentarse a ellos. Yo llamo a este asunto "Golpear cuando el hierro está frío"; eso no significa otra cosa que el momento más efectivo para contender con la mala conducta es *antes* de que ocurra. "Golpear cuando el hierro está frío, es un proceso que incluye tres pasos:

1.- *Anticipe:* Prevea el problema, basándose en el conocimiento que tenga de sus hijos o de los niños en general.

2.- *Planee:* Desarrolle una estrategia para contender con el problema.

3.- *Comuníquese:* Hable con el niño sobre el problema definiéndolo y enterando al peque de la estrategia (¡Pero no le pida permiso para usarla!)

Al golpear cuando el hierro está frío, se coloca usted en la posición más eficaz posible para golpear cuando el hierro esté caliente. Cuando las cosas hayan llegado al punto de ebullición, imponga su estrategia tal como lo prometió y sosténgala hasta que el problema esté resuelto.

En el idioma del mundo de los negocios, golpear cuando el hierro está frío es *pro-activo* y no *reactivo*. En la paternidad, al igual que en los negocios, contender proactivamente con los problemas es igual a controlarlos, a diferencia de hacerlo de manera reactiva, dejando que el problema lo controle a uno.

Veamos la forma en que este proceso estratégico puede aplicarse a un problema típico de mala conducta: Rodney tiene cinco años e insiste en bajarse de su cama para ir a ver a sus padres y hacer preguntas y peticiones fuera de lugar. Para que el nene no se baje de su cama, sus padres han amenazado, sobornado, nalgueado y gritado hasta desgañitarse. . . todo ello, *ejemplo claro de respuestas emotivas carentes de eficiencia y tomadas de manera visceral.*

Finalmente, los padres de Rodney deciden golpear cuando el hierro está frío. No les cuesta esfuerzo alguno anticipar el problema ya que se ha estado presentando dos años consecutivos, de modo que proceden a la etapa de planeación de estrategias. Deciden que a Rodney *se le permitirá abandonar la cama una sola vez, hacer una sola pregunta y una sola petición.* Cuando lo llevan a acostar, le dan "un boleto" que no es otra cosa que un rectángulo de papel o cartoncillo de color. Rodney puede usar ese boleto para "comprar" el privilegio de bajarse de la cama una sola vez.

Cuando Rodney se baje de su cama (es seguro que lo hará) les dará el boleto a sus padres, quienes responderán a su pregunta o le dirán algo. Luego, sus padres lo regresan a su cama. Si por cualquier razón (aunque sea el famosísimo "quiero ir al baño) se vuelve a levantar, al día siguiente no saldrá a jugar y sus padres lo acostarán una hora más temprano que de costumbre (con su riguroso boleto).

Teniendo trazada la estrategia, los padres le comunican serenamente sus planes a Rodney a las cinco de la tarde de un hermoso día. Mientras lo preparan para irse a la cama, le recuerdan "el nuevo plan". Luego lo acuestan, le dan su boleto y apagan las luces.

¿Se vuelve a levantar el peque de su camita? ¡Claro que sí! ¿Se levanta de su cama más de una vez? Pues fíjense que sí. Rodney tiene que poner a prueba la regla para comprobar si realmente existe.

Al día siguiente, los padres de Rodney ejecutan el castigo tal como lo prometieron. Esa noche, Rod se baja dos veces de su cama. Al día siguiente, sus padres lo castigan sin salir a jugar y lo acuestan bien tempranito. A la tercera noche, Rodney se baja diez veces de su cama: Está investigando si sus padres van a respetar la regla en caso de que él actúe como si tuviera un ataque de amnesia. Esa noche, Rodney se baja una sola vez de la cama. Durante las semanas siguientes, Rodney hace intentos y pruebas varias veces más, y en cada ocasión descubre que sus padres respetan la regla. Por fin, Rod deja de hacer pruebas y ya no se baja de su cama. Y la verdad es que Rodney duerme más tranquilo *sabiendo que puede confiar en la palabra de sus padres.*

Como lo señala el ejemplo anterior, *la buena disciplina no tiene que ser complicada. Debe organizarse bien, comunicarse fácilmente y ejecutarse con tranquilidad. Entre más simple, ¡mejor!*

LA SENCILLEZ ES LO MEJOR

Nada destruye tan rápidamente un plan de disciplina como la confusión y la falta de claridad. Ejemplo: "Si limpias tu cuarto, te damos una estrella. Si no, te damos un pagaré. Al terminar la semana, restaremos los pagarés de las estrellas y eso determinará cuánto dinero, te quitaremos de tu siguiente mensualidad. Si no hay pagarés, recibirás una bonificación adicional; pero si nos debes una suma mayor a la de la bonificación, dicha bonificación se aplicará à tu deuda". ¿Ven? Ni Einstein hubiera entendido.

Otra forma de condenar a cualquier tipo de disciplina al fracaso, es abarcar más de lo que podemos manejar. Tomemos como ejemplo a un nene que es desobediente, destructivo, irrespetuoso, falto de responsabilidad y muchas monerías más. En vez de abordar todos los problemas a la vez, que sería igual que competir con un pulpo en un encuentro de lucha libre, conviene concentrar toda la energía en uno solo de los problemas. *Resolver un problema, lo pondrá en buena posición para arremeter contra el segundo, el tercero, y asi sucesivamente.*

Los padres de dos nenes, de dos y cinco años, tenían los problemas típicos que organizan niños de esas edades. Ustedes ya los conocen: usaban malas palabras, peleaban, gritaban como comanches, saltaban sobre los muebles, se metían en todo, pintaban las paredes y organizaban un auténtico manicomio. Los padres invertían todo su tiempo corriendo de un niño al otro y volviéndose locos durante el proceso. Entre más se esforzaban, lograban menos.

—Elijan tres de los problemas—les aconsejé.

Escogieron los gritos, los pleitos y las malas palabras. Como los niños aún no sabían leer, hicimos un dibujo para cada problema. El griterío estaba representado por un muñequito abriendo la boca al grado de fracturarse la mandíbula; los pleitos, por dos muñequitos prendiéndose de los cabellos; las malas palabras, por un dibujo de un nene enseñando la lengua... Bueno, no se nos podía pedir más: Estábamos lejos de ser Da Vinci o Miguel Angel.

Los dibujos se pegaron en la puerta del refrigerador y se les explicó a los nenes qué significaba cada uno de ellos. Los padres compraron dos relojes marcadores de cocina y los colocaron en las habitaciones de los niños. Cuando había alguna violación de conducta, el padre más cercano al lugar del delito lo identificaba describiéndolo en voz alta ("Acabas de decir una mala palabra") y manifestaba:

—Es uno de tus dibujos y significa que estás castigado en tu cuarto. Un pleito tenía la virtud de enviar a los dos pequeños a sus respectivas habitaciones, sin que importara el famoso *"yo no empecé, fue mi hermano"*.

Mamá o papá llevaban al o los niños ofensores a su cuarto y ponían el marcador de tiempo en diez minutos. Cuando sonaba el timbre, los niños podían salir de sus "esquinas neutrales. . ." Platicando con estos padres, puse de relieve lo que llamo *"La Regla del Réferi"*: NADA DE AMENAZAS, SEGUNDAS OPORTUNIDADES NI NEGOCIACIONES.

—Cuando haya una infracción, hagan sonar el silbato —dije figurativamente—, y establezcan la sanción. *Recuerden que todo estará perdido si se manifiesta cualquier duda o hay asomos de indecisión.*

Volví a verlos tres semanas más tarde y la señora comenzó por contarme que finalmente había conseguido un silbato profesional en una tienda de artículos deportivos.

—Oiga, espéreme. ¿Quiere decir que realmente compró un silbato?

— ¡Pues claro que si! La idea me pareció espléndida. Mientras estamos en casa, me lo cuelgo del cuello. Cuando silbo, los chicos marchan rumbo a sus cuartos sin que tenga que ordenárselo. Más aún: Ellos mismos ponen el marcador de tiempo.

Le pregunté cómo se sentía con respecto al plan educativo, y palabra por palabra me dijo lo siguiente: —Me siento más confiada en mi capacidad como madre y con mejor control de los niños. Por su parte, los pequeños reaccionan de una manera tal que me indica que se sienten más seguros y protegidos por mi autoridad. *Ya saben hasta donde llegan mis límites, a diferencia del pasado en que daban la impresión de que siempre estaban tratando de determinarlos.* Ahora, tenemos una casa tranquila, la sensación de que todo está organizado, y todos somos más felices.

VAMOS A NEGOCIAR DESDE UNA
POSICION DE PODERIO

Dado que con frecuencia hablo del poder de " ¡PORQUE LO

MANDO YO!", a menudo se me interroga sobre si Willie (mi esposa) y yo, le dimos a Eric y Amy razones o posibilidad de discutir las reglas impuestas. En ambos casos, la respuesta es "Si". *Siempre* les dimos a los niños (que ahora tienen dieciséis y veinte años) razones sobre las que se basaba cualquier decisión. Una de las razones era "¡PORQUE LO MANDO YO!", o cualquier variación sobre el mismo tema. Cuando había causas más razonables que *¡Porque Lo Mando Yo!*, cambiábamos a "PORQUE *YO* DIGO" que, como ya he dicho, es una constestación muy honesta en la mayoría de los casos.

Cuando dimos razones diferentes a *¡Porque lo Mando Yo!*, tuvimos temores de que los niños no obedecieran. . . y no obedecieron. Ya no intentamos convencerlos de nuestros puntos de vista, que, después de todo, requirieron de alrededor de cuarenta años para consolidarse. *No somos tan torpes como para pensar que podemos apresurar a la Madre Naturaleza.* Como lo dijo Orson Wells: *"Ninguna mente madura antes de tiempo".* ¿O fue uno de los Hermanos Marx?

Aunque nos rehusamos a perder el tiempo (el nuestro y el de ellos), les enseñamos cómo salirse con la suya. El intercambio típico iba más o menos como sigue:

En ocasiones Eric, menor a la edad que tiene ahora, me llegaba con una petición a la que yo respondía:

— ¡No!

Eric se agitaba visiblemente, sacudía los brazos y chillaba:

—¿Y por qué demonios no? —con voz aguda, ofendida, y chillona.

—Andas mal, Eric. Ese no es el modo. *Si quieres que te dé una explicación, debes pedirlo de forma razonable.* Eso significa que no debes perder la compostura ni plantear tus interrogantes de una manera que me irrite. Así que... comienza nuevamente desde el principio.

Durante unos instantes, me mira con expresión de disgusto y, luego, vuelve a lanzar su discurso. Una vez más, expongo mi respuesta: "NO". Eric respira profundo y, apretando los dientes, murmura —¿Te molestaría explicarme por qué dices que no?

—Bien hecho, Eric. No, no me molesta decirte por qué me niego—. Y comienzo a explicarle, pero antes de que pueda terminar la primera frase, Eric interrumpe con un: —¡Ay, papá, es que...

—No, Eric, ya la volviste a regar: Cuando le pidas una explicación a cualquier persona, piensa que adquieres la obligación de escucharla, independientemente de que estés o no de acuerdo con ella. ¿Me explico?

Con un suspiro desgarrador, Eric asiente con la cabeza.

—¡Bien! Volvamos a empezar, hijo.

—¡Ay, papi! No juegues!

—No estoy jugando. Nos quedamos aquí hasta que todo esté clarito... digo, a menos que quieras echarte atrás, en cuyo caso tendrás que sobrevivir con mi "No" original. ¿Qué decides?

Aunque contrariado, Eric vuelve a empezar. Finalmente, después de muchos tropezones, deja establecido su punto de vista y yo recompenso su esfuerzo cediendo al cincuenta por ciento entre su postura y la mía. Esto le enseña a NEGOCIAR EN VEZ DE DISCUTIR Y GIMOTEAR.

Algunas personas dirían que esto suena problemático, pero no lo es, en especial cuando consideramos la gratificación obtenida. Además, *era mi obligación enseñarle a Eric a manejar las habilidades que necesita tener para lograr el éxito en la vida.* Lo que hice con Eric es comparable a lo que hace un jefe o un supervisor cuando le enseña al empleado un trabajo nuevo. El supervisor va explorando paso por paso. Si el empleado se equivoca en cualquiera de los pasos, el *supervisor corrige y hace que el empleado vuelva a comenzar desde el principio, ya que de esa forma, eventualmente aprenderá la secuencia completa.*

Como dije, mi obligación era enseñarle a Eric *el arte de la negociación.* ¡Y vaya que lo aplicó y lo usó en la preparatoria para obtener más libertades de las que tiene cualquier chico, ya no digamos de la prepa, sino de la universidad.

Y todo brotó de aquel ¡PORQUE LO MANDO YO!

TOMA DE DECISIONES

Decisiones y más decisiones, una sobre otra. ¡Caray, *la verdad es que educar a un niño no es como hacer enchiladas.* Desde el nacimiento hasta los dieciocho o más años, que señalan la época de la emancipación, las decisiones consumen de manera importante el tiempo y la atención de los padres. . . no acaba uno de tomar una decisión, cuando se viene encima la necesidad de tomar otra, y otra, y otra. . .

Para empeorar la situación, no tiene uno suficiente con las decisiones que debe tomar sino que, además, hay que ayudarle a los chicos a examinar y tomar las propias: Qué ropa ponerse para algún evento especial de la escuela, a quién invitar a comer o a pasar la noche en casa, cómo manejar conflictos con otros chicos, etcétera, etcétera y etcétera.

Todo lo anterior es suficiente para volver locos a papá y a mamá, y la verdad es que con demasiada frecuencia *sentimos la tentación de mandarnos hacer una camisa de fuerza a la medida.* La mayoría de los padres regresa de estos viajecitos con cicatrices aceptables, pero hay algunos que se quedan en el maldito viaje y perdidos para siempre. Algunos padres llegan a *la Aldea de la Distracción,* porque se pierden en los pequeños detalles: *para ellos, cualquier decisión es TRASCENDENTE,* partiendo de la que se refiere a que el niño se cepille los dientes hasta la posibilidad de que repruebe el tercer año. Creyendo que cualquier decisión es tan terrible que puede afectar la vida entera del nene, este tipo de padres se obsesiona con que la decisión *"siempre sea la* adecuada".

Esto plantea una interrogante atractiva: *¿Cuál es la decisión adecuada?*

Erróneamente, muchos padres piensan que para cualquier situación que se presente en la crianza de los pequeños sólo hay UNA SOLUCION CORRECTA. Eso es como pensar que de los cuarenta y tantos platillos que aparecen en el menú de un restaurante sólo hay uno adecuado para nuestro paladar y gusto. . . *Es más importante la forma en que los padres toman la decisión que el contenido mismo de la decisión.* Lo mismo es aplicable a la administración de un negocio.

El administrador de una empresa debe ser hombre decidido.

No desperdicia tiempo y energía obsesionándose con los detalles. Confía en su intuición y en su sentido común. El buen gerente está consciente de que es más importante inspirar confianza y sentido de propósito entre sus subalternos que estar siempre en "lo correcto". *Sabe que una decisión imperfecta es menos nociva para la organización que el estilo erróneo y vacilante usado en la toma de decisiones.* Cuando el gerente del negocio es obsesivo o indeciso y vacilante, siembra la inseguridad, la desconfianza y el conflicto entre su gente. Los padres indecisos hacen lo mismo en su hogar.

¿Puede ver su propia imagen en las siguientes descripciones?:

*- - - Vacila y medita sesudamente las decisiones desconfiando de su intuición y sentido común en vez de "tomarlas sobre la marcha". Obsesionarse con cada decisión, grande o pequeña, es una pérdida de tiempo, una invitación a las discusiones y una clara señal para el peque de que si presiona lo suficiente, casi seguro se sale con la suya.

*- - - Incluye al nene en demasiadas decisiones. Es bueno pedir su opinión en algunas cosas, pero cuando esa es la regla y no la excepción, AUMENTA TERRIBLEMENTE LA POSIBILIDAD DE CONFLICTO ENTRE PADRE E HIJO.

*- - - En los casos en que al chico no le gusta la decisión que usted tomó, es muy común que llegue a un arreglo con él o que, de plano, retroceda usted en su decisión. Los padres suelen ceder para evitar el conflicto. Infortunadamente, entre más cede uno, con *más conflictos tiene que enfrentarse a final de cuentas.*

*- - - Constantemente llena al nene de explicaciones. Los niños no quieren explicaciones: Quieren discusiones. *Pedir*

*una explicación es el conducto que emplea el nene para iniciar
el alegato.*

*Si le vino el saco, deje de complicar su vida y la de su hijo.
Deje de preocuparse pensando que si toma una decisión inadecuada traumatizará al peque para toda la vida.*

Si le vino el saco, deje de complicar su vida y la de su hijo.
Deje de preocuparse pensando que si toma una decisión inadecuada traumatizará al peque para toda la vida. *Comience a
confiar en sus sentimientos y en su instinto.* Las malas *decisiones* no hacen daños a largo plazo. Los daños los hacen las
malas *personas.*

"¡YA VERAS CUANDO LLEGUE TU PADRE!"

Eso decía mi madre siempre que mi conducta desorbitada
era demasiado para ella. Y siempre funcionaba. Esas seis palabras mágicas siempre me llevaban de regreso a la realidad.

—Ay, no, mamá. Espérate. ¡No lo hice con intención! ¡Me
portaré bien, haré lo que tu digas, por favor, ¿si?, pero no le
digas nada a papá. ¿Me perdonas? ¿Si?, por favorcito. Ya sabes lo que me hará. . . ¿quieres que mi sangre inocente caiga
sobre tu cabeza? Mamá, mami, mamita santa. . .

Todo en vano. De todas maneras, me acusaba. Y papá des-
cendía sobre mi dejándome sofocado por su cólera. Durante
algunos días, odiaba a mis dos padres. . . pero me portaba bien.
Temporalmente.

"Ya verás cuando llegue tu padre. . ." era la fórmula median-

te la que muchas madres de familia de la generación anterior controlaban a sus retoños. Usualmente funcionaba, aunque a un precio muy alto porque en el proceso, *los niños aprendíamos a temer y hasta a odiar a nuestros padres. También aprendíamos hasta dónde podíamos presionar a nuestra madre antes de que estallara.* Y dado que flirtear con el peligro está implícito en la naturaleza del niño y nosotros éramos niños, bailar peligrosamente cerca del límite se convertía en un juego del cual retrocedíamos en el último momento. A veces ganábamos, otras perdíamos.

Pero entre el miedo y las líneas divisorias, aprendíamos otras cosas como que *las madres/mujeres eran débiles y poco eficientes,* mientras que los hombres/padres eran fuertes y merecedores de respeto. *Las mamás gritaban y amenazaban; los padres ponían manos a la obra. En breve: aprendíamos que los hombres eran más competentes que las mujeres y comenzamos a actuar como si eso fuera una verdad absoluta.*

Pero en toda justicia, las mujeres de nuestra generación se rebelaron. Infortunadamente, muchas de ellas conceptuaron el problema como a una idea unidimensional de *ellas contra nosotros.* Cuando pudimos haber sido camaradas de armas, nos convertimos en oponentes. La ira y la indignación del movimiento feminista puso en guardia a los hombres. Dicho movimiento tampoco tomó en cuenta que lo que se había iniciado en casa tenía que resolverse ahí mismo antes de que pudiera ser arreglado a gran escala. Total, pusieron la carreta adelante del caballo.

La forma en que se disciplina al niño tendrá mucho que ver en la formación de sus actitudes y percepciones del hombre y de la mujer. Por lo tanto, y hasta donde sea posible, *la disciplina no debe terminar conceptuando a los padres como "ogros" y a las madres como "barcos".* Cuando mamá está en la línea de fuego, es ella quien debe aplicar la disciplina. Y prevalece lo mismo con papá. La disciplina debe ser firme y constante, y los padres deben mostrar un frente unido ante los chicos. Eso evita que uno de los dos padres dé la impresión de ser más eficiente y firme que el otro.

Claro que estas son reglas generales y pueden violarse en ciertas circunstancias y que habrá ocasiones en que es apropiado decir: "Esperaré a que tu papá (o mamá) llegue a casa pues manejaremos juntos el problema. Mientras tanto, te quedarás en tu habitación". Esa es la mejor forma de manejar las "cosas grandes", las que no ocurren todos los días, tales como cuando peque le recuerda la progenitora a su maestra o le tira una piedra a un automóvil.

Esto le transmite al nene un mensaje importante: "Tu padre (o tu madre) y yo estamos muy unidos. Esto no es *show* de una sola persona. Entre más escuche peque ese mensaje, es más seguro que desarrolle una percepción funcional de que hombre y mujer son *socios*, no rivales.

LOS INCONVENIENTES DE LAS ALABANZAS

Cuidado con la alabanza, que puede resultar contraproducente. La mayoría de las personas piensa que los nenes necesitan muchos halagos y que eso mejora su autoestima. Ambas cosas son falsas. La verdad es que los pequeños no necesitan muchas alabanzas y en muchos casos, *prodigarlas puede ser más nocivo que benéfico.*

Hace algunos años, un grupo de investigadores dividió en dos grupos a veinte criaturitas de cinco años de edad. Cada uno de los grupos fue conducido a una área recreativa, vigilada por un grupo de maestros. En medio del salón, había una gran mesa atestada de materiales creativos como arcilla, papel de colores, lápices, tijeras, etcétera. Después de un lapso breve para que los chicos se conocieran entre sí, los maestros les indicaron sus lugares y les dijeron que "hicieran algo".

Con el primer grupo, los maestros circulaban constantemente alrededor de los niños prodigándoles una buena dosis de alabanzas, levantando cada trabajo para que todos lo vieran y, en general hirviendo de estusiasmo.

Estos mismos maestros, fueron considerablemente más reservados y parcos con el segundo grupo. En vez de aletear alrededor de los niños, permanecían en su mesa haciendo algún trabajo. Ocasionalmente, preguntaban si alguno requería ayuda o materiales. Si alguno de los niños le mostraba su trabajo al maestro (obviamente, buscando una alabanza), éste se limitaba a pronunciar algunas palabras cálidas.

A la mañana siguiente, los maestros llevaron a los niños a sus respectivos salones, y les dieron una hora de juego libre. Mientras, los investigadores registraban el tiempo que los niños pasaban jugando con el material.

¡Pues vaya sorpresa! Los nenes del primer grupo evitaban la mesa de materiales como si hubiera estado contaminada; los del segundo trabajaron constantemente. Es obvio que el exceso de alabanzas había resultado negativo y los chicos ya no querían trabajar sin halagos.

En psicología se hace una distinción entre alabanza evaluativa y descriptiva. La evaluativa es personal y de enjuiciamiento. Por ejemplo, cuando Billy le lleva a su maestra una colección de hojas disecadas, ella exclama: "¡Ah, Billy trabajas muchísimo y es una alegría ser tu maestra! De no haber sido por tí, este año me habría resultado terriblemente rutinario."

Este tipo de alabanza evaluativa le arrebata al niño el derecho de ser imperfecto. Como resultado, el pequeño comienza a internalizar un elevadísimo autoestándar de excelencia, y llega el momento en que siente que no está a la altura de su propio estándar, que está fallando. . . Los resultados finales de este tipo de alabanza abarcan la sensación de ser inadecuado, incompetente, así como un gran desaliento que es todo lo contrario de lo que se trataba.

La alabanza descriptiva no entraña los mismos peligros. Como su nombre lo indica, no es sino una descripción, un reconocimiento de logro. En el caso de Billy y de su colección de hojas, su maestra pudo decir: "Es evidente que le dedicaste tiempo y esfuerzo a esta colección, Billy. Gracias por compartir esto con toda la clase.

Al igual que el azúcar, la alabanza puede ser adictiva. Aquellos nenes que reciben alabanzas evaluativas, constantes, exageradas, suelen desarrollar un hábito de dependencia en función de que les apruebe y les aplauda el mundo exterior. El niño que adquiere esta dependencia es como una llanta con una ligera fuga de aire: De vez en cuando hay que meterle aire o se desinfla totalmente.

Es común que los adultos aplaudan actos que no tienen por qué ser alabados, como ir adecuadamente al baño: Ni necesitamos ni debemos alabar a los niños por el simple hecho de que están creciendo. *Un simple reconocer es suficiente,* porque el desarrollo y la maduración son en sí misma una alabanza, una recompensa. *El adulto que alaba un acto de autosuficiencia no hace otra cosa que robarle el mérito al niño.*

La alabanza también puede ser como el tiro que sale por la culata, especialmente con un nene que tiene una autoestima baja. La alabanza no le conviene a ese pequeño, y menos que ninguna la evaluativa. LA DISPARIDAD ENTRE EL MENSAJE Y LA IMAGEN GENERA ANSIEDAD Y ANGUSTIA, y el nene puede intentar combatirlas con una mala conducta para equilibrar la situación.

En buen español, podría decirse que *la alabanza no puede repartirse indiscriminadamente como quien avienta un puño de confeti. Sea conservador y parco sobre todo, con la alabanza como con el castigo* TOME PUNTERIA CONTRA EL ACTO, NO CONTRA EL NIÑO.

PREGUNTAS Y RESPUESTAS

P. *Mi niño de cinco años tiene muchas dificultades en la toma de decisiones. Inicia su día con el problema grave de decidir qué quiere desayunar. Entre más sugerencias le hago, más confuso se muestra. A lo largo del día, agoniza constantemente por las decisiones que abarcan desde a cuál de sus amigos invitar a comer hasta con qué jugar. A la hora de acostarse, no logra decidir qué cuento quiere que le lea. Luego, no sabe qué ponerse al día siguiente. Dado que tanto mi madre como yo tenemos problemas en la toma de decisiones, comienzo a pensar que esto es genético. ¿Será?*

R.   Su hijo tiene problemas en la toma de decisiones porque
usted le da demasiadas alternativas y lo obliga a tomar muchas
decisiones.

*Un problema no necesariamente ha de ser genético para que
pase de una generación a otra.* La gente indecisa siempre intenta que otra persona tome las decisiones por ella. Es probable
que, cuando usted era niña; su madre haya tratado de enfrentarse a su indecisión pidiéndole a usted que tomara las decisiones que usted misma no era capaz de tomar. Al hacerlo, su
madre le sobrecargó su capacidad de toma de decisiones y, pronto o tarde, usted se volvió indecisa. . . . Ahora que usted tiene un
hijo, le está transmitiendo su incapacidad para la toma de decisiones pidiéndole que tome muchas que están más allá de la
capacidad del pequeño. Y así gira la rueda, una y otra vez y
jamás se detiene porque NADIE TOMA DECISIONES.

La solución es muy obvia: Debe usted dejar de esperar que
su hijo tome todas las decisiones. Ah, pero espere: Eso significa que ES USTED QUIEN TOMARA DECISIONES. Por lo
tanto, vamos dándole una revisada a la indecisión de usted.

*La indecisión (como padres) casi siempre brota del temor de
equivocarse.* Creen que las decisiones equivocadas marcan al
niño de por vida. . . y acaban por no tomar decisiones firmes
QUE ES UNO DE LOS ERRORES MAS GRANDES QUE
PODEMOS COMETER LOS PADRES. Las decisiones equivocadas pueden pasarse por alto o enmendarse, en cambio, el
estilo equivocado que usemos para tomar una decisión puede
dejar problemas a largo plazo.

*El sentido de seguridad del niño se basa en la autoridad y el
amor de sus padres, y la indecisión de los padres hace que los
pequeños se sientan inseguros.* Es casi seguro que tarde o tem-

prano, esa falta de seguridad se traduzca en problemas de conducta. El asunto es bien claro: *Entre más trate de no cometer errores que podrían causar problemas, más problemas provoca.*

¡No pierda ni un minuto más! ¡Vuélvase decidida!

Si acostumbra leerle un cuento al nene cuando se va a acostar, deténgase frente al librero y, si quiere, elija con los ojos cerrados o tome el primero que vea. Luego, anuncie: "Este es el cuento que te leeré hoy" NO DIGA "¿QUIERES ESTE?" porque eso no es decidir. Si el peque manifiesta que ese no es el que quería o que no le gusta, dígale que lo lamenta, *pero* **ese** *va a ser el cuento de esa noche.*

Cuando temine de leerle el cuento, saque la ropa del nene para el día siguiente. Luego, haga el anuncio de "Mañana te pondrás esto". No se le ocurra preguntarle si está de acuerdo y si protesta, dígale: "Te pondrás esto porque así lo he decidido". Arrópelo y dele las buenas noches. Cuando el nene se levante por la mañana, hágale el dasayuno y póngalo frente a él a la voz de "Aquí está tu desayuno". Si dice que eso no era lo que deseaba desayunar, dígale que no es obligatorio que se lo coma y proceda a seguir en lo suyo o a leer el periódico. Le garantizo que el peque no morirá de hambre. *Por favor, sosténgase.*

Siempre que lo vea indeciso, váyase y no le sirva de público, o tome usted la decisión. Si le enseña cómo se toman las decisiones, no pasará mucho tiempo antes de que el niño comience a seguir su ejemplo y logre un mejor control de su propia vida. . .

P.   *Hace poco, nuestro hijo Ernie decidió convertirse en un "dos añero" TERRIBLE. Mi esposo piensa que Ernie ya tiene edad para que se le propinen algunas nalgadas, pero yo no estoy segura. ¿Qué opina?*

R.   Eso depende de su definición de nalgadas, de cómo y cuándo piense darlas. En mi opinión, una nalguiza es eso, una nalguiza, cuando reúne las siguientes condiciones:

1.- Papá o mamá administra la nalgada con la mano *(se prohíben los cinturones, varas, etcétera.*

2.- La mano de papá o mamá sólo hace contacto con las pompis *(se prohíben los coscorrones, bofetadas, etcétera.)*

3.— La mano golpea la pompis *no más de tres veces (una sola nalgada es lo ideal.)*

CUALQUIER OTRA COSA SE LLAMA GOLPIZA Y NO SE VALE. Yo recomiendo que si los padres deciden nalguear, lo utilicen como *primer recurso.* Entre más amenazan los padres, más frustración gestan y es más probable que nalgueen con furia.

Contra el mito psicológico, yo sostengo que los padres deben nalguear cuando estén enojados (no furiosos). Si el padre o la madre no están enojados, no se justifica la nalgada. *Una nalgada de primer recurso y de enojo, termina en un segundo, el nene no guarda resentimiento y el papá o la mamá no se sienten culpables.*

Algunas personas piensan que una nalgada de cualquier tipo es un abuso. YO NO. *Hay padres que nalguean de manera ABUSIVA, pero la verdad es que cualquier forma de disciplina (hasta hablar con el pequeñito) puede transmitirse de manera destructiva.* Otras personas creen que la nalgada es la forma más eficaz de disciplinar al nene. NO ESTOY DE ACUERDO. Por sí misma, las nalgadas no motivan una conducta adecuada. Una nalgada que se acompaña por una reprimenda breve y por un periodo de restricción, tendrá un efecto mil veces más positivo que una nalgada a secas. *Más aún: Los peques que reciben nalgadas con mucha frecuencia, se vuelven "inmunes" a ellas:* Entre menos nalgueen los padres, más efectiva será cada nalgada.

Una nalguiza no es más que una comunicación no-verbal. Es una exclamación que se coloca ante un frente verbal, que significa: ¡Y ahora, escúchame! *La nalgada sirve como una expresión de "no te apruebo", es una demostración de autoridad y de reprobación.* Pero no es un substituto de formas más eficientes de disciplina.

Algunas personas utilizan la referencia bíblica a "la vara" para justificar el uso de las nalgadas como una forma primaria de disciplina. Yo señalaría que la vara era un símbolo de autoridad en los tiempos antiguos y que significa que los padres que escasean su autoridad, malcriarán a sus hijos.

Es una regla que las nalgadas son poco eficientes con los peques de dos años. *Es indiscutible que los pequeños de dos años son gentecitas muy decididas y que las nalgadas las vuelven aún más decididas.* Más aún: El nene o nena de esta edad, olvida con gran rapidez las nalgadas y vuelve a lo suyo dos minutos más tarde. Un enfoque positivo suave y firme, transmitirá el mensaje de que el nene puede hacer lo que le venga en gana una vez que haya hecho lo que sus padres ordenan. . . es más eficaz que todas las nalgadas del mundo.

P.   *Nuestra nena de cinco años, Margo, exige una atención constante. Si estamos en público, Margo chillotea en caso de que no se cumplan sus exigencias. Si tenemos invitados en casa, Margo se porta escandalosa y se pule en ser mal hablada; y cuando su padre o yo la mandamos a hacer algo, se hace sorda; si insistimos, llora, se aqueja o se muestra desafiante. Cualquier petición que se le haga se convierte en una guerra mundial. En los demás aspectos, Margo es una delicia, un encanto. ¿Cómo podríamos controlarla sin destruir su personalidad?*

R.   Tengo una idea que seguramente no dañará la personalidad de Margo. Comiencen por hacer una lista de las conductas que quieren eliminar en la nena, comenzando con los problemas que tienen a la casa como escenario. Por ejemplo, la lista podría ser como sigue:

1.- Cuando le decimos a Margo que haga o deje de hacer cualquier cosa se hace la occisa, chilla, se queja o simplemente dice "¡NO!"

2.- Cuando tenemos invitados, Margo es un escándalo esterofónico.

3.- Margo interrumpe a la gente que está hablando.

4.- Cuando no se sale con la suya, Margo llora a dos pulmones.

Luego, compren un contador de tiempo de los que se usan en la cocina, elijan un sitio tranquilo de su casa donde Margo pueda quedarse guardadita cinco minutos. Ya con todo en su sitio, siéntense con ella y explíquele el programa. Repasen con ella la lista de problemas de conducta porporcionándole ejemplos para que las descripciones sean muy claras.

—Escucha, Margo estas son las cosas que deseamos que dejes de hacer, las que en el pasado nos han contrariado mucho. Ahora, vamos a pegar esta lista en la puerta del refrigerador y cuando hagas alguna de las cosas que están en la lista, te llevaremos al baño de abajo pondremos el contador de tiempo en cinco minutos y no saldrás hasta que suene el timbre.

Para que el asunto funcione, no hay que amenazar ni darle segundas oportunidades. En pocas palabras: *Si Margo muestra mala conducta, no la amenacen con enviarla al baño: Mándenla, pongan el contador de tiempo y déjenla sola.* Al decirle a Margo que va camino al baño, es probable que decida cooperar y exclame: "¡Ya me voy a portar bien!" De ser así, indíquenle que tendrá oportunidad de hacerlo cuando salga del baño y sigan adelante con el castigo.

No pasará más de una semana antes de que vean cambios en la conducta de Margo, pero se necesitan de tres a seis meses para que los buenos hábitos reemplacen por completo a su conducta anterior.

P. *Nuestro hijo de ocho años es muy "olvidadizo". Parece que no recuerda nada de lo que le decimos. Si le encomendamos una tarea de la casa, se le olvida. Si tiene que dar un recado, no lo da. Si le ordenamos dos cosas, sólo hace una y a veces ni eso. Y se pone peor. ¿Hay algo que podamos hacer para mejorar su memoria?*

R. Alégrense. Después de haber estado perdido durante más de una generación, hemos recuperado el secreto para mejorar la memoria de su hijo y la desesperación de ustedes. Lo bueno es que la fórmula funciona tan bien como siempre y no cuesta ni un centavo. *Se llama; disciplina* y está garantizada al cien por ciento.

La verdad es que el nene no es alvidadizo, sino desobediente.
"Se me olvidó" es una manera evasiva de decir "No me dio la
gana" o algo por el estilo. Vamos a analizar el hecho de que
(¡estoy seguro!) su memoria es muy selectiva y cómoda. El
mismo niño que olvida darle de comer al perro o entrar a la
casa antes del oscurecer, jamás olvida que el helado que más
le gusta está en el refrigerador o la mención que hicieron sus
padres hace varias semanas de un probable viaje al zoológico.
*Les apuesto lo que quieran a que su hijo recuerda lo que le
conviene y "olvida" aquello de lo que le encanta prescindir
como las tareas domésticas.*

Para mejorar su memoria, hagan una lista de sus privilegios
favoritos como:

ANDAR EN BICICLETA
SALIR A JUGAR A LA CALLE
INVITAR A UN AMIGO A CASA
VER LA TELEVISION

Peguen la lista en la puerta del refrigerador, y cada vez que
"olvide" algo, tachen un privilegio, comenzando en orden, por
ANDAR EN BICICLETA. Cada privilegio tachado, se pierde
hasta el lunes siguiente. El domingo, cuando se haya acostado,
vuelvan a comenzar desde cero poniendo una nueva lista.

Al sancionar de este modo indoloro sus "olvidos", lo respon-
sabilizan del problema. Si son perseverantes, *les garantizo que
a la vuelta de unos cuantos meses, el nene tendrá una memoria
de primerísima calidad.*

P. *Nuestro hijo, de ocho años, nos ha comenzado a mentir.
Por ejemplo, cuando le preguntamos sobre una tubería misterio-
samente obstruida por un gigantesco chicle, aseguró que no*

tenía nada que ver en el asunto. Cuando le aplicamos el tercer grado, acabó por admitir que había sido él, pero no supo decir por qué mintió. Esa es sólo una de tantas ocasiones que se han presentado en las semanas anteriores. Ya le dijimos que el castigo será peor si miente, pero la amenaza no funcionó. ¿Qué significa esto y qué debemos hacer al respecto?

R. Singifica que es el clásico niño de ocho años que, como la mayoría de sus contemporáneos está debutando con varias formas de travesura inocente, incluyendo la de hacer hasta lo imposible para despistar a los sabuesos que le siguen el rastro, cuando hace algo malo.

¿Por qué ahora? ¡Buena pregunta! *Hasta los ocho o nueve años, los niños conceptúan a sus padres como a la octava maravilla.* Creen que somos una especie de gigantes capaces de cualquier cosa: Leer el pensamiento, ver a través de las paredes y lindezas por el estilo. Esta percepción de los padres como omnipotentes y omnisapientes es indispensable para que el niño pequeño se sienta seguro. El asunto es que *cuando los niños andan cerca de los diez años, comienzan a darse cuenta de que no somos tan listos como creían y tratan de poner en evidencia toda la amplitud de nuestra tontería, primero portándose mal y luego haciéndose los inocentes ante la evidencia de su culpabilidad.*

Cuando esto comenzó a ocurrir con nuestros hijos, Willie y yo aplicamos la regla de *"No les preguntes y no te mentirán".* Si, por ejemplo, yo estaba bastante seguro de que Hijo-Número-Uno había hecho un agujero en la pared, le anunciaba:

—Eric, por haber hecho un hoyo en el muro, te vamos a castigar mañana. ¿Cuál es tu última voluntad?

En vez de hacer la pregunta idiota, yo me daba por enterado, y a menudo, Eric sufría las consecuencias de su travesura. Darse por enterado es algo afirmativo, y como tal, es eficaz para impedir el jueguito de el-gato-y-el-ratón. Las preguntas manifiestan duda e invitan a la negativa. Y una vez que se inicia la persecución del pequeño delincuente, es el niño quien determina cuánto tiempo va a durar. Eso introduce al escenario un segundo elemento atractivo: EL PODER

Volviendo al principio, creo que su primer error fue preguntarle a *junior:* "¿Tu metiste un chicle a la tubería?" Se habrían ahorrado tiempo y energía diciendo algo así como "vas a vivir en el baño hasta que se te ocurra cómo sacar tu chicle del drenaje". Y si hubiera jurado inocencia, podrían haber manifestado: "Esto no es un tribunal sino una familia y no vamos a perder el tiempo entablando un juicio. Ya tomamos una decisión y vas a obedecer."

Claro que podrían estar equivocados, pero hay un noventa por ciento de probabilidades de que tengan ustedes razón. Como padre, yo he descubierto que mis primeras intuiciones sobre "¿Quién lo hizo?" resultaron correctas en un noventa por ciento. Yo estoy convencido de que *el diez por ciento restante fue menos nocivo para mis hijos que darles una oportunidad tras otra de tomarle el pelo a sus padres.*

P.   *Tenemos dos hijos, de siete y nueve años. Excepto por algún pleito ocasional, se entienden de maravilla. La verdad es que se entienden demasiado. Cada vez que disciplinamos o castigamos a uno de ellos, el otro brinca y alega que no es justo. Ha habido casos en que nos obligan a retroceder. Hemos discutido con ellos hasta ponernos morados. . . en vano. ¿Qué podemos decirles para que dejen de interferir en la disciplina de uno y de otro?*

R. No tienen que hablar o explicar más de lo que ya hablaron. Si hablar pudiera resolver un problema, los padres sólo tendríamos que hablar una vez, máximo dos. Sus hijos no tienen un pelo de tontos y saben perfectamente que ustedes no quieren que interfieran en la disciplina familiar. Tal como está la situación, estoy seguro de que ustedes ya dijeron todo lo que podían decir y, muy probablemente ya hayan sido repetitivos. Hablar más sólo logrará el mismo resultado: NADA.

Su problema es que no han sido suficientemente claros, que no han convencido a los chicos de que el asunto va en serio y, hasta el momento, les han dado toda la razón para pensar que el negocio no está cerrado ni es definitivo. Usted misma lo ha dicho: Hay ocasiones en que los han hecho retroceder.

Igualito que con los jugadores compulsivos, no es necesario recompensar a los niños una vez por su mala conducta para que se sigan portando mal. Si se castiga cierta falta cuarenta y nueve veces y se premia una, esa recompensa es más motivacional y poderosa que los cuarenta y nueve castigos anteriores.

Les ofrezco la fórmula para curar a sus hijos de su *"pasión por el juego"*. La próxima vez que proteste el hermanito porque están imponiéndole un castigo al otro, manifiesten algo parecido a: —Pensándolo bien, creo que tienes razón y estamos siendo injustos ser justos significa tratarlos por igual. En consecuencia, dado que interviniste, *recibirás el mismo castigo que tu hermano.*

No echen a perder la diversión advirtiéndoles anticipadamente lo que van a hacer !Regálenles la sorpresa de la nueva justicia! Eso les dará algo en qué pensar.

P. *¿Cuál debe ser el papel que desempeñan los abuelos*

en la crianza y educación de los pequeñitos? ¿Es obligatorio que respalden las reglas impuestas por los padres y sus métodos para hacer que sean respetadas?

R. Estoy totalmente de acuerdo con la antropóloga Margaret Mead, que escribió lo siguiente: "Los abuelos necesitan de los nietos para conservar vivo el concepto de este mundo cambiante, y los nietos requieren de los abuelos para saber quiénes son y para que les ofrezcan un sentido de experiencia humana del mundo (pretérito) que, de otra manera, no pueden conocer.

Los abuelos SON Y DEBEN SER UNO DE LOS RECURSOS MAS VALIOSOS DE LOS NIÑOS. *Los abuelos son los maestros suaves y gentiles que nos enseñan cómo fue y cómo debe ser la vida.* Los abuelos también se encuentran entre los recursos más valiosos de los padres, dando una buena muestra de paciencia e interviniendo en la seriedad frecuentemente rígida de la paternidad con la flexibilidad y el sentido del humor que sólo puede adquirirse mediante un panorama generalizado de la vida.

Cuando nació nuestro primer hijo, Eric, Willie y yo, al igual que muchos padres jóvenes, nos volvimos neuróticamente territoriales, en especial con nuestros padres. Eramos exageradamente sensitivos a su "intervención" y *cualquier sugerencia* que viniese de ellos, sin importar cuán constructiva fuera, *se conceptuaba y rechazaba como "una crítica".*

Por ejmplo, me purgaba que los padres de Willie le rellenaran la boca a Eric con golosinas, le llenaran las manitas de juguetes y los bolsillos con dinero. Y entre más me purgaba, más lo hacían. *Nos tomó muchos años entender que los abuelos no dañan al "consentir" a los nietos.*

La verdad es que ahora estoy firmemente convencido de que lo *normal* y *adecuado* es que los abuelos "consientan" a los nietos y que es *anormal* e *inadecuado* que los padres "consientan y echen a perder" a esos mismos niños. Uno de los enormes placeres de la vieja generación es HACER FELICES A LOS NIÑOS Y *NADIE* TIENE DERECHO A INTERFERIR CON ESA FELICIDAD MUTUA. Los que nos sentimos retorcidos, atrapados entre la inocencia de la infancia y la sabiduría de los viejos, atrapados en lo complejo de la edad adulta, haríamos bien en respetar el estado de las cosas.

La regla que aplicamos actualmente Willie y yo cuando los niños visitan a los abuelos o los abuelos visitan a los nietos es la siguiente: "Cuando a Roma fueres, haced lo que veais que los romanos hicieren. Y cuando los romanos lleguen de visita, hay que hacer lo que hacen los romanos".

De esta manera, se nos simplifica la vida a todos.

P. *Mis padres viven cerca y los vemos con cierta frecuencia. Para nuestro hijo de cuatro años, lo mejor del mundo es pasar la noche con los abuelos de los cuales es el único nieto. El problema estriba en que, independientemente de que estemos presentes o no, los abuelos hacen caso omiso de las reglas que hemos impuesto y permiten que Michael haga su santa gana. El resultado: ¡Cuando Michael regresa a casa cuesta varios días volverlo al carril. ¿Qué nos sugiere para resolver éste problema?*

R. En este caso, me pondré de parte de los abuelos. Cuando nuestros hijos eran pequeños, sufríamos el mismo problema con mis suegros, que también vivían cerca. Finalmente y después de muchas frustraciones, entendimos que, sin importar qué dijésemos, los abuelos iban a hacer de su capa un sayo.

Willie y yo recordamos que nuestros respectivos abuelos habían hecho lo mismo con nosotros y que su trato y su amor no nos había convertido en delincuentes. A final de cuentas, ambos admitimos que cuando tuviéramos nietos, seguramente los íbamos a consentir endemoniadamente.

Este cambio de actitud nos permitió darnos cuenta de que los problemas de control que estábamos experimentando por las visitas, no eran culpa de los visitados (los abuelos). Culparlos por la conducta equivocada de los niños no era otra cosa que un acto primordial de "pasar la bolita". Si estábamos dispuestos a permitir que los abuelos consintieran a los peques, tendríamos que sentirnos capacitados para adoptar la responsabilidad absoluta de la disciplina.

Tomando al toro por los cuernos, nos sentamos con los peques y les dijimos que las vacaciones con los abuelos eran vacaciones de muchas de nuestras reglas, pero que cuando terminaran las vacaciones, también tarminaría la violación de las reglas. Cuando los niños volvían de casa de los abuelos, hacíamos un breve repaso de las reglas y les recordábamos qué esperábamos de ellos. Si seguían teniendo dificultades con su autocontrol, se iban a sus habitaciones, bien instruidos con respecto a que no saldrían hasta haberse ajustado.

No transcurrió mucho tiempo antes de que disfrutáramos ampliamente las visitas de los abuelos y que los niños hicieran la transición sin mayores dificultades. ¡Habiendo descubierto que los abuelos no son culpables de nada. . . me muero por ser abuelo!

P.   *Me doy cuenta de que hemos sido indecisos y poco firmes con nuestro hijo de seis años, y en consecuencia, ha desarrollado algunos problemas de conducta.   ¿Cómo reaccionará*

*si de pronto dejamos de ser "padres-barco" para convertirnos en
dictadores benévolos?*

R.   Es probable que el chico no le dé la bienvenida a la
transformación, dado que requerirá que suelte una buena dosis
del poder que ejerce sobre la familia. Durante una temporada,
aumentarán sus problemas de conducta mientras *junior* lucha
por recuperar el poder. Como dice aquel dicho, "Las cosas
suelen empeorar un poco antes de mejorarse". *Pero si ustedes
no se separan de sus puestos de artillería, pronto mejorará tanto
su conducta como las relaciones familiares.*

Los problemas disciplinarios no resueltos obstaculizan la
comunicación y las expresiones de afecto y cuando se resuelven
esos impedimentos, todo marcha viento en popa. Es imposible
que los padres y los hijos tengan una buena comunicación mutua si el niño o los niños no están seguros de que pueden confiar
en la autoridad y la firmeza de sus padres. Como dice el pueblo: El caballo debe ir adelante del carro. Y en este caso, el
caballo es la autoridad y el carro es una relación amorosa y
abierta entre padres e hijos.

Esto mismo prevalece en la relación maestro-alumno. Un
buen maestro sabe muy bien que su enseñanza será tan buena
como su autoridad sobre el grupo. Así que el primer día de
escuela, procede a establecer, comunicar y reforzar las reglas
poniendo así al caballo delante del carro. Sabiendo que habrá
niños que pongan su autoridad a prueba, procede a explicarles
qué sucederá cuando uno de los chicos desobedezca una de las
reglas. *Y cuando se viola una regla, el maestro procede tal como
anunció demostrándole así a sus alumnos que pueden confiar*

en su palabra. En vez de molestarse por ello, los niños aprenden a confiar en su maestro.

A la larga, los niños más felices son los obedientes y los padres más dichosos son los dictadores benévolos. Obviamente, los unos no existen sin los otros. Así que, *¡Al ataque, amigos míos!*

Capítulo Tres

LAS RAICES DE LA RESPONSABILIDAD

Cuando viajo por el país ofreciendo conferencias o dirigiendo talleres de conducta para los padres y los grupos profesionales, comienzo pidiendo que levanten las manos para responder a mi primera pregunta: —*¿Cuántos de ustedes pueden afirmar honradamente que se sienten seguros de que sus niños realizarán una rutina establecida de tareas domésticas por las que no reciben dinero o recompensa especial?*

En un público integrado por alrededor de quinientas personas, no se levantan más de cincuenta manos. Luego, viene la segunda pregunta: —*¿Cuántos de los padres de ustedes habrían levantado la mano contestando afirmativamente a la misma pregunta?* Se alzan muchas manos.

La gente se echa a reír, pero la verdad es que el asunto es muy serio. Significa que en el lapso de una generación, nos las hemos arreglado para perder las riendas de una parte vital de la educación de los hijos. Dicho con simpleza, LOS NIÑOS DEBEN SER MIEMBROS COOPERATIVOS DE SUS FAMILIAS. Los niños deben tener obligaciones. Hay cinco buenas razones para apoyar lo anterior:

—*La primera es práctica y se relaciona con el hecho, ya mencionado de que el propósito esencial de criar a los niños es ayudarles a tener sus propias vidas y a alcanzar lo que ellos*

consideren como éxito. Por lo tanto, estamos obligados a
dotarlos con las capacidades que se requieren para ser adultos y
las tareas domésticas son muy importantes. A no más de los
dieciocho años de edad, los chicos deben ser perfectamente
aptos para manejar una casa, sean chicos o chicas. También
serán responsables de ganarse por lo menos una parte de sus
propios gastos y SABER ADMINISTRARLOS. Este adiestramiento no sólo ayuda a los chicos a saber ser adultos, sino que
les ayuda a apreciar el esfuerzo que hacen sus padres por mantener un hogar. De otra manera, al menos temporalmente,
lo consideran algo gratuito, algo que casi se sostiene solo.

—La segunda razón involucra el sentimiento de seguridad
del niño. Las tareas domésticas actualizan la participación del
niño en la familia, fortaleciendo el sentimiento de aceptación
y seguridad. Saber que su contribución de tiempo y trabajo a
la familia es importante, refuerza y mejora al sentido que tiene
el niño de pertenecer al núcleo, alimenta su concepto de valía
y crece enormemente su autoestima.

—La cuarta razón tiene que ver con el sentido cívico y ciuda-
dano de los niños. Nadie podría negar que la buena ciudadanía
comienza en casa; por lo tanto, nuestras prácticas de crianza
deben reflejar ese principio. Hay que enseñarle a los niños que
la recompensa por ser miembro de una familia es mayor por el
lado de lo que ellos le dan a la familia que por lo que reciben
de ella. Cuando este principio no se ejerce y se le permite al
niño que tome de la familia mucho más de lo que su contribución justifique (guardadas las debidas proporciones), la relación
se vuelve parasitaria. En consecuencia, hay falta de motivación,
egocentrismo feroz y la idea de que la vida nos da todo a cambio de nada.

—La quinta y la más importante de las razones es que las

tareas domésticas vinculan mejor al niño con los valores de la familia. Representan el único medio tangible a través del cual puede contribuir el pequeño a su familia y cualquier acto de CONTRIBUIR está orientado hacia valores particulares. *Piénselo por un momento: Cuando usted contribuye con tiempo, dinero, esfuerzo o cualquier otro recurso personal a una causa política, social, religiosa o caritativa, se reconocen dos cosas: La primera, que comparte usted valores con la organización a la que ayuda; segunda, que quiere hacer algo tangible para apoyar y sostener esos valores en nuestra sociedad. Lo mismo se aplica en lo que respecta a la contribución del niño a su familia. Los niños a quienes se capacita para contribuir sobre una base regular al funcionamiento de casa, adquieren una comprensión más clara de los valores de la familia. Estos mismos niños estarán propensos a sostener y aplicar los mismos valores en sus vidas como adultos, buscando así la felicidad para ellos mismos y para sus propios hijos.*

Willie y yo no comenzamos a involucrar a nuestros hijos en las tareas domésticas hasta que Amy cumplió siete años y Eric diez. Hasta ese momento, sólo se les exigía que arreglaran su habitación. Su creciente resistencia a hacer cualquier otra cosa en el hogar nos indicó la necesidad de acrecentar su participación en el hogar.

Comenzamos por hacer una lista de todos los quehaceres de la casa, encerrando en un círculo las que sentíamos que podían hacer los niños y se las mostramos. ¡Ay, Santo Cielo! Descubrimos que NO PODIAN HACER NINGUNA DE ELLAS, sólo quedaban tres cosas que ni mi esposa ni yo queríamos que hicieran: Lavar, planchar y guisar. Enlistamos los materiales y los pasos involucrados en cada tarea en tarjetas de kardex y las dividimos en dos grupos, uno para cada niño. *La idea era dejar lo menos posible a la imaginación de los niños.* Por último, organizamos la programación en dos calendarios (marcando siete días) y los pegamos en la famosa puerta del refrigerador. La tarea de cada niño tomaría alrededor de cuarenta y cinco minutos en los días hábiles, y dos horas los sábados.

Habiendo puesto a nuestros "patitos en fila" les expusimos el plan a los niños que, aunque parezca increíble, lo aceptaron sin una sola queja. Bueno, casi. Cuando Willie y yo terminamos de explicarles el sistema, Eric nos miró fijamente.

—¿Y a qué se piensan dedicar ustedes? ¿A vernos trabajar?

Niñito simpático...

La verdad es que durante las primeras semanas, tuvimos que presionar, corretear y recordarles sus obligaciones. Nuestros estándares de control de calidad eran bastante rígidos. Si uno de los niños no hacía su trabajo completa y correctamente, volvía a empezar. Un trabajo "olvidado", significaba la pérdida de un privilegio durante uno o dos días. No transcurrió mucho tiempo antes de que los peques descubrieran que cooperar no les costaba mucho tiempo y que no cooperar les salía caro. Pronto se hizo evidente que ambos estaban orgullosos de contribuir con la familia. Además, aprendieron sobre la marcha cómo se maneja una casa lo cual, algún día, les permitirá manejar la suya como adultos.

¿QUEDA ALGUNA DUDA?

P.   *¿A qué edad deben comenzar los niños a hacer ciertas tareas en la casa?*

R.   *Los tres años representan la edad más ventajosa. A esta* edad, el niño tiene una enorme necesidad de identificarse con sus padres y la manifiesta, en parte, siguiéndolos por toda la casa y tratando de intervenir y participar en todo lo que hacen. Si no puede hacerlo directamente, imita a mamá y a papá. Si el padre está arreglando una llave que gotea, el peque quiere intervenir. Cuando mamita guisa, el nene se entretiene sacando cacerolas y sartenes para jugar sentadito en el suelo de la cocina.

Es pues importante capitalizar el interés del nene dándole algunos trabajos en la casa. Pero que se establezca una costumbre, una rutina, *esos trabajos deben hacerse todos los días a la misma hora.* Por ejemplo, puede ayudar a tender su cama en la mañana, a poner la mesa y a recoger sus juguetes antes de acostarse.

El sentimiento de logro, unido al reconocimiento de sus padres por hacer bien las cosas, sirve para reforzar el sentido de pertenencia del niño y aumenta significativamente su seguridad y su autoestima.

Dado que los niños de tres años tienen entusiasmo por agradar, los padres no tendrán grandes dificultades para obtener su cooperación. *Asignar unas cuantas tareas a esta edad, establecerán el escenario para asignarle tareas más importantes cuando crezca.* Antes de los tres años, es muy probable que los padres se topen con una muralla de resistencia. Asimismo, hay que tener en cuenta que *la buena disposición del pequeño se va esfumando si los padres esperan a que tenga más de cuatro años* para familiarizarlo con esta importante faceta de la vida familiar.

P.   *¿Cuánto trabajo debemos esperar razonablemente del niño?*

R.   El niño de cuatro a cinco años, deberá tener su habitación y su baño limpios. A la edad de seis años ya se le puede enseñar a usar la aspiradora en su cuarto. Para los siete u ocho años, el niño debe ser absolutamente responsable de la limpieza de su habitación, de su baño y de algunas tareas en la casa. Una vez por semana, deberá hacer una limpieza general y profunda de su habitación y su baño, incluyendo el cambio de ropa blanca, sacudir y lavar todos los muebles del baño.

Entre los nueve y los diez años, deberá colaborar en la casa un promedio de cuarenta y cinco minutos diarios y un par de horas los sábados. Se puede organizar la rutina diaria en tres bloques de quince minutos cada uno. El primero debe tener lugar por la mañana (arreglar su recámara, su baño y alimentar al perro); el segundo, después de la escuela (descargar la lavadora de trastes o de ropa y poner la ropa o los trastes en su sitio); el tercero, por la noche (levantar la mesa, lavar las cacerolas y sacar la basura).

Es IMPORTANTE hacer hincapié en lo siguiente: NO HAY TRABAJO PARA NIÑAS Y TRABAJO PARA VARONCITOS. *Todo es trabajo de las personas. Si usted es una persona, no le queda más alternativa que TRABAJAR.*

P.   *¿Debe pagarse a los niños por su trabajo doméstico?*

R.   En general, NO. El pago crea la ilusión de que si el niño no quiere el dinero, no tiene obligación de hacer el trabajo. El pago diluye la experiencia de aprendizaje. Una tarea que se paga, deja de ser una contribución y se convierte en un trabajo hecho a cambio de dinero. *Pagar por los trabajos domésticos introduce dinero en el bolsillo del niño, pero no pone en su mente un sentimiento de valía.* **Puede enseñarle algo sobre qué**

es un negocio, pero nada sobre la responsabilidad que acompaña a la membresía dentro de una familia.

En otro aspecto, está bien que los padres le paguen a los niños por un trabajo *que esté por encima de la rutina obligatoria.* Por ejemplo, cuando Eric entró a la secundaria, yo no le pagaba por podar el pasto una vez por semana, pero en cambio, le pagaba por su ayuda para cortar la leña. Aun en ese caso, Eric estaba conciente de que su trabajo básico no era opcional.

P.   *¿Está usted en contra de darle al niño una mensualidad para sus gastos?*

R.   No estoy en contra si la mensualidad no tiene nada que ver con sus obligaciones domésticas. *Las responsabilidades domésticas le enseñan responsabilidad, autodisciplina y una gama enorme de habilidades y manejo de su tiempo.* La mensualidad enseña al pequeño el manejo adecuado del dinero. Ambas lecciones son independientes y no deben confundirse entre si. No se debe usar la mensualidad para presionarlo en sus obligaciones domésticas ni se le debe retirar por mala conducta. *Los padres que usan el dinero para obtener la cooperación del niño, le enseñan sin saberlo la manera de usar el dinero como un instrumento para manipular a la gente.*

P.   *Cuando hay más de un hijo en la familia, ¿no sería justo que los padres les permitan intercambiarse tareas?*

R.   *Por justo que suene, este tipo de arreglo nunca funciona.* Es más, casi siempre se nos voltea el chirrión por el palito. Alternar las tareas inevitablemente se traduce en varios problemas: Los niños terminan discutiendo a quién le toca hacer qué. Y dado que ninguna de las tareas le pertenece exclusivamente a uno de ellos, no pueden enorgullecerse de los resultados y terminan haciendo las cosas sólo para salir del paso. Cuando los padres se quejen de que el trabajo no está bien hecho, los niños se señalarán mutuamente. Dado que las obligaciones se alternan y se cambian, a los críos les cuesta más esfuerzo y más tiempo aprenderse el programa y, como resultado los padres andan atrás de ellos fastidiándoles la vida para que hagan su trabajo. *Total, que este intento de justicia conduce inevitablemente a la frustración y al conflicto.*

Una familia es como una empresa, como una organización y, como tal todo mundo debe tener un equivalente a una descripción de trabajo y obligaciones. La descripción de trabajo de cada persona, ayudará a que tenga una definición clara de su papel dentro de la familia. Entre más clara sea la descripción del trabajo, más claro será el papel que desempeña la persona. En una organización donde los papeles no están claros, la gente se siente molesta, frustrada, y la organización no funciona como debiera. Jamás he oído hablar de una empresa donde la gente intercambie su trabajo o sus puestos diaria o semanalmente. Y tampoco lo recomendaría para una familia.

FUNCIONAMIENTO RESPONSABLE

No sólo no se les ha asignado responsabilidad y trabajo específico a los niños actuales, *sino que no se les ha responsabilizado por su conducta o su mala conducta.* Es frecuente que cuando un pequeño se porta mal, los padres, enfrenten las consecuencias del problema cosa que hacen *aceptando los sentimientos de cólera, culpa, preocupaciones y frustración.* Los padres aceptan las consecuencias prácticas y tangibles absorbiendo los inconvenientes causados por la mala conducta del niño. Por ejemplo, es factible que estén repitiéndole las instrucciones más de una vez porque el peque rara vez escucha. . . si es que alguna

RARA vez escucha. Es posible que estén perdiendo el tiempo de su propio trabajo por citas frecuentes con el maestro o el director de la escuela. Llegan tarde a su oficinas porque el niño ni se viste ni está listo a tiempo para la escuela. Es poco común que disfruten de intimidad, de privacía, porque el niño da una lata atroz para quedarse en cama y dormirse en las noches.

La responsabilidad de un problema se mide en términos de sus consecuencias. Cuando los padres absorben la peor parte de las consecuencias emocionales y/o tangibles de la mala conducta del niño, aceptan sin saberlo la responsabilidad de dicha conducta. En realidad, el problema pasa a ser de su propiedad y, por ende, tratarán de resolverlo. Pero entre más se esfuercen, más frustrados se sentirán porque LA UNICA PERSONA QUE PUEDE RESOLVERLO ES SU VERDADERO PROPIETARIO: *EL NIÑO.*

Las situaciones de este tipo requieren la aplicación del "PRINCIPIO DE LA AGONIA", que propone lo siguiente: *Los padres JAMAS deben agonizar por lo que el niño haga o deje de hacer ya que es perfectamente capaz de agonizar por sí mismo.* En buen español: Deben atribuirse y asignarse al pequeño las consecuencias emocionales y tangibles de su mala conducta. Cuando la "agonía" descanse con todo su peso sobre los hombros del nene, éste se sentirá motivado para resolverla y disolverla.

Para hacer este traslado de los hombros de los padres a los hombros del nene, hay que echar mano de "El Principio de El Padrino". Enunciado por vez primera por un gran filósofo siciliano conocido como "Don Corleone", este principio de El Padrino dice sencillamente que con objeto de que el niño acepte su responsabilidad por mala conducta en cualquier

área, papá y mamá *tienen que hacerle una "oferta que no
pueda rehusar".*

UN VIAJECITO A LA PLAYA

Los siguiente es una ilustración de los principios de El Padrino y La Agonía.

En 1976, poco después de mudarnos a Gastonia, Carolina del
Norte, la familia Rosemond decidió tomar sus vacaciones de
verano en Myrtle Beach, Carolina del Sur. Para los niños, el
viajecito era el acontecimiento del año, pero Willie y yo nos
moríamos de terror. Pasar cuatro horas en el coche con dos
pequeños histéricos que gritaban cada cinco minutos al son de
"¿Ya llegamos? ¡Ya no podemos esperar! podría ser método
infalible para extraer información del más silencioso y valiente
de los prisioneros de guerra; pero no es modo de comenzar las
vacaciones.

Dos minutos después de haber entrado a la carretera, los chicos comenzaron a pelear sin que hubiera apariencias de que
terminaran antes de llegar al final del viaje. El siguiente intercambio es clásico:

— ¡Dile a Eric que no se me quede mirando!

— ¡Es que subió los pies a mi lado del asiento!

— ¡No es verdad! ¡Deja de empujarme! ¡ ¡Ayyyyy....!!

— ¡Ya cállate, Amy! ¡No te estoy haciendo nada! ¡Eres una
tonta!

— ¡ ¡No me insultes!!

Y así fue la historia, desde la carretera hasta el hotel y nada pudo evitarlo. Ni rogar, sobornar, amenazar con que nos regresaríamos a casa. Nada. Después de sufrir esa experiencia y de temer al futuro, Willie y yo diseñamos un método para terminar con la horrenda situación... para siempre. Cuando llegó el día clave, nos trepamos al coche con todo y nenes y equipaje, llevando los "boletos" en la mano.

—Niños: Estos son boletos. Cada uno de ustedes va a recibir cinco boletos. Cuídenlos porque son importantes y están relacionados con las reglas que hay que seguir para ir en el coche. La Primera Regla es "No pelear"; La segunda es: "No hagan ruidos raros ni griten; La Tercera: No interrumpan cuando papá y mamá están hablando.

—Cada vez que violen una regla, perderán un boleto. Si pelean, ambos pierden un boleto, y no nos interesa quién comenzó. Ahora bien, lo primero que quieren hacer al llegar a la playa es meterse al agua, ¿no? Y ahí es donde actúan los boletos, porque si no les queda ninguno cuando lleguemos al hotel, no entrarán al agua por dos horas y se quedarán sentaditos en la playa, bajo la sombrilla, viéndonos a los demás jugando en las olas.

Entregamos los boletos, nos trepamos al coche y emprendimos el camino. Antes de salir de la colonia donde vivíamos, los chicos perdieron su primer boleto por peleoneros poco después, Eric perdió otro por lanzar un alarido. Luego, Amy perdió otro por habernos interrumpido. Una hora más tarde, cada uno había perdido cuatro de sus cinco boletos.

Las cuatro horas siguientes fueron las más pacíficas de nuestras vidas con Eric y Amy. No hablaron entre ellos ni nos dirigieron la palabra a nosotros. Estaban ocupadísimos apretando contra el pecho su boleto restante. Fue el comienzo de las mejores vacaciones familiares que habíamos tenido.

Varias semanas después, al contar este incidente ante el público de un seminario de pedagogía, una señora del público levantó la mano para comentar que había puesto a prueba la estrategia sin ningún resultado.

—El viaje fue pavoroso, y por eso decidimos poner a prueba el asunto de los boletos ya de regreso a casa. Tal como usted dijo, le dimos cinco boletos a cada niño y les prometimos que si conservaban alguno antes de llegar a casa, los llevaríamos a comer helados.

—¿A comer helados? —pregunté.

—Si. Se pasan la vida pidiéndonos que los llevemos a comer helados. Bueno, pues por un rato se portaron bien y luego comenzó el circo y perdieron todos sus boletos en un lapso de quince minutos. Fue entonces cuando se pusieron endemoniados gracias a que se dieron cuenta de que no teníamos ningún control sobre ellos.

¡Por supuesto! Esos padres habían violado el Principio de El Padrino ofreciendo a sus niños algo que *podían* rehusar. El problema es prometerle a un niño un helado por portarse bien y amenazarlo con que no habrá helado si se porta mal, es que el helado no es un argumento importante. Si los nenes se hubieran jugado algo tan importante como reunirse con sus amigos al llegar a casa, es seguro que el plan hubiera funcionado.

EL PROBLEMA DE LAS RECOMPENSAS

El problema del enfoque de estos padres es el mismo de las recompensas en general. Rara vez funcionan. Y no por mucho tiempo.

Para empezar, dado que son "extras", las recompensas tienen poco valor para el pequeñito. Los privilegios como reunirse con los amigos o salir con ellos y andar en bici tienen *más* PODER *porque son actos que definen el estándar de vida del niño.* Y al igual que el adulto, el nene se siente muy motivado para conservar su estándar de vida.

En segundo lugar, *las recompensas son inflacionarias.* Ocasionalmente, las recompensas pueden motivar al nene, pero no por mucho tiempo, porque tan pronto como el niño satura la recompensa que se esté usando, esta pierde inmediatamente su valor. En este instante, y para seguir motivando al peque, es necesario aumentar el valor de la recompensa.

A menudo digo a los padres que si le prometen helado a cambio de arreglar su cuarto o hacer la limpieza de la semana, es probable que el peque funcione por una o dos semanas. Para entonces, lo más probable es que la recompensa haya perdido su brillo y que exija no menos de un Hot Fudge. Poco después, el hot fudge habrá perdido su encanto y los padres tendran que aumentar la oferta. Eventualmente, en la versión familiar de *"Vamos a Hacer un Trato"*, casi puedo oír a los padres deciendo: "Billy, si conservas tu habitación limpia esta semana, te vamos a mandar a Disney con todos los gastos pagados y con tus amigos, amén de pagarte todos los helados que te puedas comer".

¿Absurdo? Quizás, pero me ha tocado oír a muchos padres ofrecer una recompensa en efectivo por cada calificación máxima en su boleta, o un par de bicicletas nuevas para los dos hermanitos que logren dejar de pelearse una semana entera. ¡Y como es de esperarse, los niños se pulen y se ganan las recompensas! Pero luego vuelven a lo suyo, a las malas calificaciones y al pleito constante.

Las recompensas también impiden que los niños aprendan a responsabilizarse por su conducta. En vez de ayudar al niño a aprender que la conducta inadecuada tiene consecuencias indeseables, las recompensas dan por resultado que el peque desarrolle una conducta manipuladora de "¿Y yo qué gano?" con respecto al comportamiento correcto. En vez de aceptar que el buen comportamiento es satisfactorio por sí mismo, el pequeño *aprende a utilizar la promesa de buena conducta como un instrumento para negociar* juguetes nuevos, privilegios especiales y otros beneficios.

Hace poco tiempo, después de dar una conferencia para padres de familia de Miami, se me acercó una joven señora para darme las gracias por ciertas observaciones que yo había hecho: "Había usado muchísimo las recompensas porque tenía la impresión de que ayudaban a mejorar la autoestima de mis hijos. A consecuencia de ello, recibí el garrotazo de que, cada vez que salimos, mis hijos me pregunten si nos portamos bien, ¿qué nos das? ¿Nos compras un juguete?

Una recompensa ocasional y espontánea que se utiliza como reconocimiento de los logros o avances en ciertas áreas conviene mucho. . . Las recompensas inesperadas son más sinceras y, por ende, más eficaces para promover tanto la buena conducta como el aumento de autoestima. Claro que hay que alabar a los niños por sus logros, pero hasta la alabanza es más eficaz si es ocasional y mesurada. En la sección de Preguntas y Respuestas de este capítulo, veremos varios ejemplos específicos de cómo se le puede asignar responsabilidad al nene mediante los principios de "El Padrino" y de "La Agonía".

CORRIENDO DETRAS DEL AUTOBUS

Hace varios años que sustenté una conferecncia para Gerentes de Empresa de la Ciudad de Kansas, y me encontré con que integraba yo el programa junto con Peters y Waterman, autores de "En Busca de la Excelencia", el *Best Seller* sobre administración de empresas. Gracias a que estaban programados antes que yo, tuve el placer de escuchar sus presentaciones. Durante su charla, hubo un momento en que, a espaldas de los conferencistas, relampaguearon las iniciales MBWA, y nos explicaron que eso no era una nueva maestría inventada por ellos, sino un concepto al que había bautizado como *Management by Wandering Around* (Administración de Empresas a Través de Deambular Por Ahí). Las risas fueron atronadoras. Inmediatamente después, Peters y Waterman declararon que MBWA era el estilo más eficaz y lleno de motivación antre todas las tónicas empresariales.

Comentaron que los administradores de empresa que manejan el MBWA están tanto capacitados para delegar responsabilidades como para no-estorbarle a la gente en la que delegaron. Son figuras de autoridad que ponen su conocimiento y experiencia a disposición de la gente que supervisan, pero que no aletean sobre ella como murciélagos enloquecidos supervisándoles cada movimiento.

Confían en que su personal puede hacer y hará adecuadamente su tarea y no se involucran exageradamente en su trabajo.

Motivan a su gente dándole tanto *la responsabilidad como la oportunidad de descubrir las gratificaciones intrínsecas del logro individual e independiente.* Deambulando por las oficinas o los talleres en vez de entrar a sangre y fuego, propician un ambiente sereno de trabajo en el que la gente tiene la libertad para ser tan creativa y productiva como sea capaz. En vez de ser "PATRONES" en el sentido tradicional del término, los administradores que deambulan por las oficinas son *asesores* para la gente que supervisan. *Su política general es de "no intervención" y sólo pasan por encima de ella cuando es indispensable. Son modelos, maestros, consejeros, gurúes.*

Al escuchar las ponencias de Peters y Waterman sobre el Moderno Administrador se me ocurrió que MBWA, era tan aplicable al adiestramiento de administradores como a la crianza de los hijos. *Me di cuenta de que los padres más eficientes son aquellos que no están ocupados constantemente en la vida de sus niños sino aquellos que tienen el don de crear un ambiente tranquilo en que las criaturas pueden descubrir su potencial:* En lugar de aletear angustiosamente sobre los pequeños, pueden actuar como asesores en su desarrollo y maduración.

Los padres de este tipo son figuras de autoridad, pero más que ordenar, guían y modelan. Su meta no es conseguir que los chicos se vuelvan dóciles y dependientes, sino que buscan que se conviertan en gente autónoma y responsable. Con objeto de alcanzar esta meta, *proporcionan una buena variedad de opciones ofreciendo a los hijos una dosis elevada de libertad cuando se trata de aceptar o rechazar dichas oportunidades.*

En vez de tomar para sí el crédito de la buena conducta de los nenes y la culpa cuando se portan mal, les asignan a los pequeños lo positivo y lo negativo de sus propias conductas. *Por encima de todo, les permiten cometer sus propios errores,*

*entrando en conciencia de que a través de las equivocaciones
se adquieren algunas de las lecciones más valiosas que la vida
ofrece.* Mediante estas actitudes, le transmiten a los niños men-
sajes de confianza y autoestima quienes, por su parte, tienen
la libertad de descubrir sus capacidades para el amor y la creatividad. En realidad, estos padres extraordinarios pero escasos
ejercer el arte casi desaparecido de "Ser Padres Mediante Deambular por ahí".

Y es una desdicha que no haya más padres como los mencionados en el párrafo anterior, de los que dejan en libertad a sus
hijos. Pienso especialmente en los padres que, con la mejor
intención del mundo, se involucran más de lo conveniente en la
vida de sus hijos: Dado que viven a través de sus hijos, toman
muy en serio los éxitos y los fracasos de los niños y *los convier-
ten en algo personal.* DIRIGEN, ESTRUCTURAN y PROTE-
GEN DE MAS. . . y, en consecuencia, consienten demasiado.
Adoptan las responsabilidades que, *por derecho,* les corresponden a los hijos, *despojándolos de su oportunidad para madurar.*

Hace varios años, me encontré un artículo del *Hartford
Courant,* escrito por Nancy Davis, maestra en periodismo de la
escuela de Miss Porter de Farmington, Conecticut. Decía
que: *". . . para los padres es difícil adoptar el consejo de que le
permitan a los niños el intento de hacer las cosas y de, quizás,
fracasar.* Es cierto que anhelamos ahorrarles los fracasos que
nosotros mismos experimentamos o que vemos aparecer en sus
horizontes. Se nos ha dicho mil veces que nadie escarmienta
en cabeza ajena, pero insistimos en que nuestros niños no cometan errores. . . porque podrían salir lastimados".

El consejo de Davis a los padres no podría ser más simple:
"Dejen de correr detrás del autobús". Estas seis palabras resumen mejor la esencia del buen manejo paternal que cualesquiera

otras seis que haya escuchado en mi vida. Gracias, Nancy Da-
via.

EL SONIDO DE UNOS DIENTES QUE SE ROMPEN
CONTRA EL ASFALTO

Hace poco, una madre de familia me preguntó qué método
adoptar para que su hijo no viviera con las agujetas desatadas.

—Ya sé que la pregunta suena muy tonta, pero invariablemente anda por ahí papaloteando las agujetas. ¡Me está volviendo
loca!

—¿Y por qué quiere que traiga las agujetas atadas?

—Bueno — me respondió, —además de que se ve horrendo,
acabará por caerse.

—¿Y qué sería lo peor que le sucedería si se cayera?

—Bueno, pues se lastimaría. . .

—¿Gravemente?

—Quizás no.

—¿Pero quizás bastante como para pensarlo dos veces antes
de andar por ahí con las agujetas desatadas?

—Tal vez. . . — respondió después de un prolongado silencio.

—Entonces, le sugiero que no haga nada. Déjelo andar por
todo el país papaloteando las agujetas. Permítale que aprenda
a la mala.

A la mala. . . . así lo manifestaba mi padre: "Hay ciertas cosas que no te puedo esnseñar y que tendrás que aprender a la mala, como todo mundo".

Volviendo la cara al pasado, entiendo que, como en la mayoría de las cosas, papá estaba en lo cierto: Algunas de las lecciones más valiosas las he recibido golpeando los dientes en el pavimento. . .

Los padres actuales, generalmente piensan que permitirle al niño una caída que pudo evitarse no sólo es algo irresponsable sino terriblemente cruel. La actitud es que si usted, como padre, vio venir la caída y no la impidió, el responsable, EL CULPABLE ES USTED Y NO EL NENE.

Cedric no hace la tarea, de modo que todas las tardes, sus padres se sientan a ayudarle a hacer la tarea. Cada vez que Angel tiene un problema con otro chico de la colonia, mamita mete interferencia llamando a los padres del chiquillo para asegurarse de que Angelito no va a tener más problemas. Para evitar que Rodney tenga "amiguitos inconvenientes," sus padres le revisan y le censuran a todos los amigos. Todos los días, los padres de Englebert lo llevan a un centro de actividades cercano a la escuela, asegurándose de que el niño se mantenga "activo".

A este tipo de *aleteo obsesivo* lo llamo "Paternidad de Helicóptero", causa por la que tantos de nuestros pequeños jamás aprenden a aceptar la responsabilidad de su conducta porque sus padres les arrebatan dicha responsabilidad con singular alegría. *La dificultad estriba en que aquí no sólo se juega el sentido de responsabilidad.*

Casi todo lo que aprendemos a través del proceso de "intento-prueba-error"; por lo tanto, si se impide la equivocación, se bloquea el proceso de aprendizaje. Al cometer un error, uno aprende qué funciona y qué no funciona, *y después de una serie de fracasos, la persona afina sus habilidades, domina sus tareas y alcanza sus metas.*

Quedarse al margen y permitir que haya el riesgo del fracaso, es una actitud de apoyo respetuoso, que no interfiere y le da al crío la oportunidad de desarrollar su iniciativa, sus recursos y muchas habilidades de resolución de dificultades. Así mismo, le permite al peque contender con la tarea que tiene al frente. Simultáneamente, lo deja enfrentarse a la frustración inherente al aprendizaje de cualquier habilidad (social, académica, emocional, etcétera). *Esa es la forma en que los niños aprenden a perseverar, en que concen la obstinación que, según sabemos todos a través de la experiencia, es la base de toda historia de ÉXITO.*

Todo se reduce a lo siguiente: Si queremos que los nenes se sostengan sobre sus piecitos, tendremos que estar de acuerdo en permitirles sus propios fracasos, en dejar que caigan. Así que: DEJE QUE ELLOS MISMOS SE OCUPEN DE ATARSE LAS AGUJETAS.

ENMIENDAS

Tener que aceptar la responsabilidad de la propia conducta, desarrolla el autocontrol. Dado que el propósito de la disciplina es enseñarle que se controle a sí mismo, cualquier método de disciplina, para que sea efectivo, debe asignar la responsabilidad de la conducta del niño a él mismo. Dicho en pocas palabras, cuando el peque hace algo mal, debe sentirse mal al respecto y verse obligado a dar los pasos necesarios para corregir su acto. *Es de esta manera como se desarrolla la conciencia.*

Infortunadamente, muchos de los niños actuales no disfrutan de las ventajas de este proceso. Con demasiada frecuencia, cuando *junior* hace algo malo, son los padres quienes se sienten mal y hacen la compensación. Protegido así de las consecuencias de su conducta, el niño no madura en el desarrollo de su responsabilidad y control de sí mismo, sino que *aumenta su irresponsabilidad y egoísmo.*

Entre los adultos hay una tendencia general a sentir que si el niño se porta mal, debe ser castigado. Eso es verdad, pero también es cierto que hay veces que el castigo yerra la puntería: Por ejemplo, *cuando la conducta equivocada del nene lastima a alguien, es más importante hacer que el niño haga enmiendas que castigarlo.*

Hace muchos años, telefoneó una vecina para decirnos, con voz alterada, que mi hija Amy (que contaba con ocho años), le había faltado al respeto. Lo que implicaba su cólera es que para tener una niña malcriada, seguramente éramos malos padres. Cuando terminó de darle rienda suelta a su rabia, le dije:

—Permítame asegurarle varios puntos. Primero, creo en lo que me dice. Segundo, estoy de acuerdo en que lo hecho por Amy fue absolutamente inadecuado y que no tiene disculpa. Tercero, le agradezco que me lo haya comunicado y que haya sido tan sincera con sus sentimientos. Cuarto: Amy corregirá el problema que ella creó. Y por último, pero no al último, le pido que se sienta en libertad de llamarnos si alguno de nuestros hijos hace algún perjuicio.

Hubo una pausa prolongada del otro lado de la línea y finalmente, con un tono cercano a la disculpa, la vecina me respondió: —Bueno, la verdad es que usualmente Amy es una niña encantadora. Esta es la única vez que me ha causado un disgusto.

Al terminar la conversación, llamé a Amy y la hice enfrentarse con el reporte de la vecina: —Esto me ha molestado mucho, hija. No tienes permiso para ser irrespetuosa con *ningún* adulto bajo *ninguna* circunstancia.

Comenzó a llorar. ¡Buena señal! . . pero eso no bastaba para corregir el error.

—He decidido que irás a pedirle una disculpa a la señora Fulanita.

Pareció que Amy iba a sufrir un infarto. — ¡Ay, papito, por favor, no me obligues a hacer eso! Si quieres, castígame no dejándome que salga a jugar o retirándome mis juguetes, pero no me hagas pedir disculpas. . . ¡por favor papito bonito!

—Lo siento, pero el asunto no está a discusión.

— ¿Me puedo disculpar por teléfono?

—No. Lo harás en persona.

— ¿Irás conmigo?

—No, Amy. Yo no te ayudé a causar el problema y no te ayudaré a resolverlo. Y eso, pequeña, es mi última palabra.

Cuando se dio cuenta de que no estaba dispuesto a echar marcha atrás, recuperó la compostura, cruzó la calle, tocó el timbre y ofreció su disculpa. Observando desde la ventana de la sala, vi que la vecina sonreía, la tomaba de la mano y asentía como diciendo que el problema había terminado. Amy cruzó la calle de regreso con su carita empapada en lágrimas. No hubo más represalias ni más sermones. Ni siquiera se volvió a mencionar el asunto. A veces, cuando le relato esta u otra historia similar a algúnos padres de familia, *me acusan de que soy amante de hacer que los niños se sientan culpables.* *Pues hasta cierto punto, ¡es verdad!*

Cuando el niño hace algo mal, debe sentir que HIZO MAL. La única vía para comunicar éso es a través del sistema emocional del niño. Decirle aˡ peque que hizo mal, usualmente no funciona: Las palabras que se usen deben transmitirse con suficiénte impacto para que el niño se sienta culpable, mortificado o ambas cosas.

La frase de "sentimiento de culpa" implica muchos significados negativos y la verdad es que puede usarse en muchas formas sádicas y hostiles, y llevada a esos extremos, DAÑA. Pero la gente que está incapacitada para sentir culpa, se llama SOCIOPATA: *Hace lo que le viene en gana sin consideración alguna por los demás, sin remordimiento por las heridas o daños que pueda provocar.* *Por otra parte, la persona que lleva a la espalda una losa de culpabilidades, es neurótica y constantemente la persigue la idea de que está haciendo mal.*

La culpa, bien entendida, puede ser una emoción que nos ayuda a adaptarnos: sin ella, no existiría la civilización. Las personas no aceptamos la responsabilidad por nuestra mala conducta a menos que nos sintamos mal al respecto. *La culpa es un mensaje de nuestro ser interno, un mensaje que dice que obramos mal y no debemos hacerlo de nuevo.* La idea de que cualquier tipo de culpa es malo, brotó de la filosofía de "Haz lo que quieras" de la década de los sesenta y los setenta. *Bueno, pues ya es hora de que saquemos la cabeza de las nubes y plantemos nuestras actitudes paternas en el terreno del sentido común.*

Nuestra tarea como padres es socializar a los niños, y no podemos enseñarle a los pequeños cómo actuar si no les enseñamos cómo pensar y cómo sentir. *Los pequeños no saben cómo
sentirse culpables si no comenzamos por enseñarles que la
culpa es adecuada en ciertas situaciones. Es así como se desarrolla la conciencia del niño.* Una vez que se le han enseñado los
valores básicos, podemos confiar en que se sentirá culpable
cuando sea apropiado. Y aún así, habrá ocasiones en que los
padres debemos empujar como o en el caso de Amy y la vecina.

SIMPATIA *VERSUS* EMPATIA

A menudo animo a los padres para que dejen de simpatizar
y comiencen a empatizar con los problemas de sus hijos. Y a
menudo me responden que desconocen la diferencia entre
ambos términos. Pues la hay, y es enorme. La empatía incluye
a la comprensión y envía el siguiente mensaje: *"¿Qué piensas
hacer al respecto?"* La simpatía incluye los mimos y el concepto de "¡Ay, pobrecito mío, no hiciste nada para merecer esto!"
La simpatía es como el flan casero: Entre más se mueve, se
vuelve más pegajoso y espeso. A final de cuentas, influye más
en impedir que en facilitar el cambio.

Cuando el niño tiene problemas personales, una dosis pequeña de simpatía ayuda a abrir líneas de comunicación. Pero la
simpatía tiende a ser contraproducente si la llevamos al extremo. Si se dosifica más de la cuenta en cualquier situación,
crea más problemas de los que resuelve. ¿Por qué? Porque al
igual que la morfina, en dosis pequeñas alivia el dolor, pero en
grandes dosis es adictiva. Y una vez que el peque se vuelve
adicto, deja de hacer intentos para resolver sus problemas y se
concentra en obtener más y más simpatía. Y dado que para
obtener simpatía es necesario que exista un problema, éstos

comienzan a acumularse mientras el niño se acomoda más y mejor en su nuevo papel de *víctima.*

Cuando Eric entró a secundaria, comenzó a tener problemas con sus compañeros. Al principio, se quejó de que lo molestaban, de que trataban de buscarle dificultades y de que no tenía amigos. Al principio, consideramos que sólo se trataba de problemas leves de ajuste. Pero con el transcurso del tiempo, las cosas empeoraron. Observamos que rara vez le llamaban por teléfono, que pasaba los fines de semana encerrado en casa y qué cada vez parecía más deprimido. Una vez, lo oímos llorar en su habitación; alarmados, comenzamos a hacer preguntas que derivaron en una historia espantosa.

Dijo que en la escuela había un grupo de chicos que no sólo se burlaban de él, sino que además diseminaban rumores de que era "raro". Los otros muchachos lo eludían y las chicas no le dirigían la palabra. Cierto grupo de muchachos escribió una carta obscena para una de las niñas y la firmó con el nombre de Eric. A consecuencia de ello, lo llamó el director, aunque a final de cuentas quedó convecido de que Eric era inocente. Pero el incidente dejó un huella importante en la confianza que el chico tenía en sí mismo.

Sabíamos que los chicos de secundaria son capaces de una crueldad sádica, pero esto iba más allá de lo aceptable. Simpatizamos con él. Hablamos, aconsejamos, consolamos y hasta lloramos con él. Tratamos de apoyarlo diciéndole que era una persona espléndida y que sus verdugos eran unos infelices. Hicimos hasta lo imposible para transmitirle la idea de que considerábamos que todo era horriblemente injusto. Pero todo iba de mal en peor. Constantemente triste, Eric no salía y las historias terroríficas empeoraban. Finalmente nos dimos cuenta de que Eric sufría de una sobredosis de simpatía, agregada a sus desdichas escolares. *Nuestras buenas intenciones habían hecho de una pulga un caballero.*

Nos sentamos a hablar con él: —Mira Eric, lamentamos la situación pero hemos observado que no haces nada para resolverla. Es como si comenzaras a disfrutar de la telecomedia. En consecuencia, hemos decidido que no habrá más conversaciones en relación a tus problemas sociales. Ya dijimos todo lo que había que decir al respecto. Te concedemos tres semanas para que te hagas de un amigo y comiences a organizarte con él. O lo haces tú, o lo hacemos nosotros.

La amenaza de "quemarlo" fue una patada suavecita en el trasero. Dos semanas después, Eric tenía un buen amigo. Al año, había adquirido más amigos de los que podía manejar.

Esa es la diferencia.

NUNCA ES DEMASIADO TARDE

Para que los niños tengan éxito en aprender lectura, escritura y aritmética, sus padres han de empezar por enseñarles las tres "R" de "respeto, responsabilidad y recursos propios".

Al explicar este concepto a un grupo de educadores profesionales de Phoenix, se me acercó uno de los maestros. "¿Todavía puede hacerse algo por un chico de catorce años cuyos padres no le enseñaron las tres "R"?"

—Estoy convencido de que nunca es tarde. Pero para invertir una situación tan antigua y con tanto impulso, los padres deberán hacer lo que han temido durante catorce años.

—¿Qué es?

—Hacerlo desdichado.

Nunca es tarde. En contra de lo que afirma el mito, *la personalidad del niño no se congela a los seis o siete años, ni siquiera
a los dieciseis. Es flexible y maleable a lo largo de toda la adolescencia.* Aun en la edad adulta, los acontecimientos significativos y las relaciones continúan moldeando nuestra personalidad si el individuo es receptivo. En esencia, la capacidad para
el cambio es cuestión de elección, no de cronología. El problema estriba en que el adolescente que requiere un "ajuste de
actitud" usualmente no reconoce la necesidad del cambio. Y
dado que no estará dispuesto a tomar la decisión, alguien habrá
de empujarlo.

Una vez que se ha tomado la decisión, el primer paso es obtener la atención del adolescente: La única forma de hacerlo es
enfrentarlo con la responsabilidad de su comportamiento. *Dado
que la responsabilidad se mide en términos de consecuencias,
los padres deben interrumpir lo que estén haciendo para proteger a su adolescente.*

Hablo de un curso rápido de choque contra la realidad. Este
tipo de acción de emergencia requiere *consistencia, dedicación
y una ausencia absoluta de simpatía por el apuro súbito del
chico.* Además, LOS PADRES DEBEN DESHACERSE DE LA
CULPA (real o imaginaria) DE SUS ERRORES PASADOS. La
realidad es que *La culpa y la simpatía van de la mano.* La culpa
(el sentimiento de "si hubiéramos sido mejores padres, el chico
sería mejor") origina respuestas de simpatía y apoyo, que a su
vez generan falta de responsabilidad por parte del chico.

Para que el enfrentamiento del chico con la realidad sea exitoso, _los padres deben dejar de culparse_ (dejar de vivir en el pasado) _y enfocar sus baterías estratégicamente hacia sus objetivos_ (el futuro). Es razonable que cuando enfrenta uno al chico irresponsable con las consecuencias de sus actos, se sienta desdichado.

El problema es que la mayoría de los padres evita que sus hijos se sientan desdichados. Piensan que la mejor prueba de que son buenos padres es que el niño esté feliz y que por consecuencia, si es infeliz, seguramente sus padres son malos.

¿Absurdo? ¡Por supuesto! Pero asi es.

Por ejemplo, los padres de un chico que flojea en la secundaria, pueden insistir en que cada viernes el niño lleve a casa un reporte firmado por sus maestros, indicando que está trabajando algo más que lo indispensable para pasar de panzazo. Si el reporte está incompleto o no llega a casa, el jovencito se quedará sin paseos hasta el siguiente viernes, cuando habrá otra oportunidad de "pasarle una inspección".

El hasta entonces irresponsable adolescente, recibirá la orden con (a) furia, (b) rechazo, (c) súplicas, (d) todo lo anterior. En otras palabras, con desdicha.

Es probable que, con breves periodos de calma engañosa, la historia dure tres o más meses. Pero si los padres no entierran sus hachas de guerra y se mantienen _firmes y desapasionados,_ habrá un nuevo amanecer de comprensión y responsabilidad en la vida de su hijo.

Como verán, hay casos en que la desdicha no es sólo la mejor sino la única forma de terapia.

PREGUNTAS Y RESPUESTAS

P. *. Todas las mañanas, nuestro hijo de siete años nos hace tortuguismo para levantarse y vestirse. Mi esposo y yo trabajamos, y eso requiere que Billy esté listo a las siete cuarenta y cinco A. M. Lo despertamos a las seis y media, lo cual le da tiempo suficiente para arreglarse. Pero todas las mañanas es la misma historia. Para que se ponga en movimiento, tenemos que llamarlo no menos de cinco o seis veces y andarle pisando la sombra hasta llevarlo a la puerta de la calle. ¡Auxilio!*

R. La única persona que puede resolver el problema, es Billy, y no lo hará hasta que lo responsabilicen del conflicto. Y Billy no tiene razones para aceptar la responsabilidad del problema mientras sean ustedes quienes lo resuelven y lo acepten. *Billy resolverá el problema cuando su renuencia a levantarse lo moleste y lo incomode más de lo que les molesta y les incomoda a ustedes.*

La mecánica real de resolución es tan simple como un A-B-C:

A: Planeen su estrategia basándose en el Capítulo 2. Hagan una lista detallada de lo que quieren que haga Billy por las mañanas.

B: Comuníquenle el plan a Billy. "Billy, hemos decidido que ya no vamos a dar de gritos ni a ponernos de todos colores en las mañanas. De aqui en adelante, cuando te despertemos a las seis y media, bajarás a la cocina y pondrás el marcador de tiempo a las siete quince. Eso te dará el tiempo necesario, cuarenta y cinco minutos, para hacer las cosas que verás en esta lista que quedará pegada en la puerta de tu recámara. Cuando suene el marcador de tiempo, pasaremos una visita de inspección. Si todo lo de la lista está hecho, puedes usar como quieras el tiempo que reste antes de salir de casa. De no ser así, si se te hace tarde o las cosas no están bien hechas, al regreso de la escuela no te permitiremos salir a jugar y te acostarás una hora antes de lo acostumbrado. ¿Alguna pregunta?

C: Hagan que se cumpla el plan. Cuando Billy se haga el occiso (y se hará), no digan y no hagan nada. Entre las seis y media y las siete quince de cada mañana, ocúpense de lo suyo, mientras Billy cumple con sus obligaciones. Les advierto que durante dos o tres mañanas de las dos primeras semanas, no se ajustará al tiempo del marcador. Es más, probablemente siga en la cama cuando el marcador suene a las siete quince. Si eso ocurre, alístenlo sin hacer escándalo ni proferir reproches (por eso es el "cojín" de treinta minutos que se incluye en el plan). Esa tarde, cuando Billy se vaya enfilando a jugar rumbo a la calle o el jardín recuérdenle suavemente la restricción que él se buscó y expresen su pesar por ello. Cuando ruege "¡Por última vez. Dénme una oportunidad!", respóndanle: "Lo sentimos mucho Billy. Tu conocías las reglas". Cuando Billy se dé cuenta de que el problema está en sus manos y puede resolverlo, lo hará. Es probable que sea obstinado, pero no es tonto.

P. *·Tengo un problema que me está volviendo loca lentamente. Mis dos hijos de ocho y diez años se pelean constantemente. Para empeorar las cosas, han establecido el juego de "Veremos quien llega primero con mami para hacerse la víctima". Ya sé que no debo funcionar como réferi, pero si hago caso omiso de ellos, el pleito aumenta de intensidad y volumen. Si no puede usted aconsejarme, por lo menos recomiéndeme a alguien que se encargue de acolchonar habitaciones como las de los manicomios.*

R. El problema no estriba tanto en que funcione usted

como réferi, sino en su participación en el jueguito de *"¡Víctima! ¡Víctima! ¿Quién es la víctima?"* Aunque sus intenciones son buenas y sus motivos comprensibles, *al hacer la
distinción entre víctima y villano,* ayuda a lo inevitable de conflictos adicionales. Vea usted: *Los niños no acuden a usted
porque pelean. Pelean porque les permite acudir a usted.*

Cuando usted se involucra en sus pleitos, le asigna a uno el
papel de víctima y al otro el de villano. Bajo éstas circunstancias, la "víctima" gana porque mamita está de su parte. En
consecuencia, los niños comienzan a competir por el galardón
de ser "la víctima". Piense que al involucrarse en sus pleitos
y favorecer a "la víctima" usted les enseña que *hay un premio
por ser derrotado.* Si alguno de los dos "gana" gracias a que
pierde con suficiente frecuencia, quizás obtenga el codiciado
título de "VICTIMAS DE POR VIDA". Lo cual es una distinción bastante dudosa, por cierto. Para que interrumpan este
JUEGO PELIGROSO, *debe usted trasladar la responsabilidad
de sus hombros a los de ellos.*

Pero utilizar el método de "Conteo Regresivo Hacia el En-
cierro". Convoque a los niños a una conferencia y anuncie:
"Quiero decirles que ya encontré la forma para que puedan
pelear todo lo que quieran sin enloquecerme. Y la forma se
llama "Problema, problema. El problema es de ustedes". Desde este momento, cada vez que se peleen, se digan barbaridades
o sean majaderos uno con otro, los encerraré en sus respectivos
cuartos por media hora. Sin importar quien empezó o quien
tuvo la culpa. Ambos pasarán treinta minutos en su habitación
y se me acabó el jueguito detectivesco de "Adivina quién fue
culpable". Además, *les aviso que la tercera vez que los envíe
a su cuarto, ya no será por media hora, sino por el resto del
día.* Sólo se les permitirá ir al baño y bajar a comer y a cenar.
Ah, y algo más: Están acostumbrados a oírme amenazar y a no

cumplir. Pero les garantizo que en esta ocasión no estoy amenazando sino advirtiendo y les prometo que voy a cumplir. Ya lo verán por sí mismos.

Ahora, en vez de luchar para involucrarla a usted, los niños tendrán que aprender a cooperar entre ellos para impedir que los encierre. Fácil, ¿no es cierto?

P. *Tengo problema para que mi nena de cuatro años se quede en su cama cuando la llevo a acostar. Unos minutos después de haberla puesto en su camita, se me aparece pidiendo un poco de agua. Se la doy, la acuesto, y tres minutos más tarde, me pide otra cosa o me pregunta cuánto tiempo falta para Navidad. Le contesto y la vuelvo a acostar para que cuatro minutos más tarde se levante a preguntar qué estoy haciendo. Y esto continúa por una hora o más. A final de cuentas, pierdo la paciencia, ella comienza a llorar y yo me siento cucaracha. En ese punto, el juego comienza otra vez. ¿Qué puedo hacer?*

R. Comience por hacer un aviso de cartón para picaporte. Como esos de los hoteles que dicen "No Molestar". Ilúminelo de verde por una parte y de rojo a la vuelta. Acueste a su hija todas las noches a la misma hora y ponga el aviso con el lado verde hacia afuera. Eso significa que puede levantarse una vez con la "luz verde". Cuando lo haga, dele el agua o responda a su pregunta y devuélvala a la cama, volteando el aviso de la puerta para que la "luz roja" quede al frente.

Dígale a la niña que la luz roja significa "¡ALTO!" y que no puede volver a salir de su habitación esa noche. Avísele que si lo hace, a la noche siguiente se irá a la cama una hora antes de lo acostumbrado. . .

Cuando viole la orden de la luz roja, llévela de inmediato a su habitación y acuéstela. No responda a más preguntas ni cumpla más peticiones. Es indudable que se seguirá levantando. Regrésela a su cama y *recuerde que los niños necesitan tiempo para adquirir un hábito y para deshacerse de otro.* Al día siguiente, acuéstela una hora más temprano y siga el mismo procedimiento. Es probable que viole la luz roja varias noches seguidas y que después tenga dos o tres noches pacíficas. Recuerde que si obedece la luz roja, se acostará a la hora de siempre, no antes. Puede reforzar el castigo no dejándola salir a jugar cuando haya salido a pesar del cartoncito rojo. Quince días o un mes más tarde, la niña estará cooperando plenamente; a pesar de ello, conserve el cartoncito en la puerta no menos de tres meses. Ese es más o menos el periodo que se requiere para formarle el hábito.

P.   *La habitación de nuestra hija de catorce años es zona de desastre. El suelo está cubierto por fundas de discos, revistas, ropa, libros. . . Jamás tiende su cama* (a veces lo hago yo) *y deja todos sus cajones abiertos. Afirma que dado que es SU habitación, tiene derecho de que esté en el estado que ella decida. Ha comenzado a encerrarse horas enteras hablando por teléfono con sus amigas. Si le pedimos que pase algún tiempo con la familia, se nos queda mirando como si estuviéramos locos y pregunta "¿Por qué?" A decir verdad, no se nos ocurre una buena respuesta. ¡Qué podemos hacer?:*

R.   Si su hija es como lo era la nuestra, Amy, a su edad, no podrán sacarla de su cuarto ni con un batallón de granaderos. Nuestros chicos actuales, se meten a su cuarto a los trece años y permanecen ahí hasta que obtienen su permiso para conducir. Estoy convencido de que es un ritual preparatorio de algún tipo que no comprendo. Pero créanme que es bueno. Y de todos modos, si le conceden a la familia la gracia de darle cinco minutos de su valiosísima presencia la familia quedará satisfecha *¡y no querrá ni un instante más!* Pedirá de rodillas que la adolescente regrese a su cuarto y la deje en paz.

El asunto del cuarto es distinto. Eso de que "es mi cuarto y lo puedo tener como me venga en gana" es un absurdo. Su cuarto *está en la casa de ustedes* y el estándar de limpieza que se establezca debe ser obedecido por ella. No apreciará el valor de vivir en un sitio ordenado y limpio hasta que lo haya disfrutado y la hayan convencido de vivir así por un tiempo. Hablarle de ello, no tendrá más resultado que dejarlos más morados que a una berenjena.

Establezca una regla. Cada mañana, antes de que se vaya a la escuela, deberá tender la cama y ordenar la habitación, incluyendo sus cajones. Cuando la niña se haya ido, ustedes inspeccionará su cuarto, si está ordenado y relativamente limpio, la chica podrá conservar su teléfono, de no ser así, confiscarán el teléfono hasta la mañana siguiente y eso si la habitación está arreglada.

El sábado se convierte en día de limpieza general: deberá aspirar, sacudir y cambiar las sábanas, además de ordenar su habitación y ordenar sus cajones. Pongan su vida de fin de semana "en suspenso" (nada de teléfono o vida social) hasta que todo haya quedado bien hecho. Cuando avise que terminó, chequen su trabajo. Si abren un cajón y está lleno de mugres, díganle que no ha terminado y déjenla sola. Lentamente pero con seguridad, aprenderá a apreciar las ventajas de una habitación limpia. Esto es sólo otro ejemplo de "El Principio de El Padrino" en acción. ¡Gracias, Don Corleone!

P.   *Nuestro niño de doce años siempre había sido obedien-*

*te y de buena conducta, responsable y honesto. Este año, entró
a secundaria y comenzó a juntarse con varios chicos conflicti-
vos. Cuando nos enteramos, le prohibimos la relación, y él alega
que no tenemos derecho de elegirle a los amigos y parece decidido a desobedecer. Es el primer conflicto importante que
tenemos y la verdad es que estamos asustados. ¿Qué debemos
hacer?*

R.   Nada. Esta es una gran oportunidad para que ustedes y
su hijo aprendan lecciones muy importantes. Ustedes pueden
aprender a dejarlo en libertad, a no ser tan protectores. El
aprenderá a ser más selectivo en sus elecciones. Pero ninguno
de ustedes aprenderá algo si no le conceden la oportunidad de
cometer ciertos errores.

Por regla general, se aprende a base de la experiencia, acer-
tando y equivocándose. Esto significa que deben hacerse muchos intentos y cometerse muchos errores antes de dominar
algo. Si se evita que el chico cometa errores leves, no habrá
lugar para el aprendizaje. Esto se aplica a un ámbito tan amplio
como manejar un automóvil, pegarle a la pelota de béisbol y
tomar decisiones correctas.

Todos podemos recordar haber tomado alguna decisión que
nos hizo perder varios dientes contra la banqueta. En vez de
ahogarnos en autocompasión, nos levantamos, nos sacudimos
el polvo y seguimos adelante, quizás con alguna cicatriz, pero
más sabios que antes. Mirando al pasado, nos damos cuenta
de que quizás si alguien nos hubiera advertido, de todos modos
hubiéramos seguido adelante con el error. Estas lecciones que
se aprenden con dolor, son necesarias para madurar y para

aprender a aceptar las consecuencias (buenas o malas) de nuestras decisiones.

No sólo deben ustedes permitir que su hijo se asocie con esos chicos, sino pedirle a todos los santos que se meta en algún problema. La verdad es que lo peor que pudiera suceder a su edad, no le arruinará la vida ni a él ni a otras personas. Dejen que tome sus decisiones con esos chicos y que, como resultado, aprenda a elegir con más cuidado a sus amistades. Díganle: "Tenías razón. Nosotros intentábamos elegirte los amigos. Es verdad que preferiríamos que no te juntaras con estos chicos, pero no vamos a impedirlo. Dependerá de ti que los lleves por el buen camino o que ellos te lleven por el camino equivocado. Pero te advertimos que si te metes en alguna dificultad con ellos, te prohibiremos su amistad; y adicionalmente, habrá un periodo importante de tu vida en que no te vamos a permitir que te asocies con nadie. *Tienes la libertad que quieres, pero más vale que la cuides, porque la libertad y la responsabilidad van de la mano".*

Debe quedar muy claro que si el niño se mete en problemas, lo harán cien por ciento responsable de su conducta. No darán oídas a explicaciones tales como "No fue idea mía", "Yo no intervine; sólo estuve mirando", o, "Me dijeron que si no participaba me darían un paliza".

Si quiere llevar a sus amigos a casa, denles la bienvenida. ¿Quien puede saber si el ejemplo de ustedes les ofrezca una nueva perspectiva respecto a ciertos valores?

P.   *Nuestro hijo acaba de entrar a sexto año. Siempre ha tenido problema en responsabilizarse de su tarea y su padre y yo nos cercioramos de que la haga. Cuando fui a hablar con su maestra al respecto, me dijo cortésmente que no me metiera, que ella se encargaría del asunto. No me hizo gracia, pero acepté. Infortunadamente, Andrew abusa de su libertad y hace la tarea precipitadamente y mal. Cuando se lo comenté a la maestra, ella me dijo que entre los dos (ella y mi hijo) se estaban encargando de resolver el asunto y que no me preocupara. ¿Se supone que no debo preocuparme si veo cómo se derrumban las calificaciones de mi hijo?*

R.   Es acertado el refrán que "todas las cosas empeoran antes de mejorar". Yo estoy convencido de que no sólo empeoran: Se ponen pésimas y así debe ser. Cuando los padres adoptan la respondabilidad de un problema que le pertenece al niño, acaban compensando el problema, NO CORRIGIENDOLO. Estas compensaciones tienen por resultado permitir que el niño continúe siendo irresponsable. En este caso, ustedes se han echado a la espalda un cargo que le corrresponde a Andrew, algo que debió hacer por sí mismo: Se aseguran de que llegue a casa con sus libros completos, aletean sobre su cabeza vigilando que haga la tarea y observan que quede bien hecha.

Como resultado, Andrew aprendió a confiar en ustedes para que compensen sus fallas académicas y sus compensaciones han logrado que el problema del niño sea menos notorio. Continúa siendo irresponsable, pero no se nota en sus calificaciones. Si ustedes dejan de compensar la falla, parecerá que el problema empeora; pero al hacerlo más notorio, es factible corregirlo.

Me parece que la maestra de Andrew se da cuenta de que para que el niño comience a adoptar responsabilidades, ustedes deberán dejar de responder por él. Habiendo obedecido, a su sugerencia, están en estado de pánico porque el problema es más notorio y parecería que todos sus esfuerzos pretéritos se han ido por el drenaje. Pero justamente ESE ES EL

PUNTO QUE IMPORTA. LOS ESFUERZOS ERAN DE US-
TEDES, NO DEL NIÑO. Ya es hora de que Andrew comience
a caminar sobre sus dos pies, aunque al principio tropiece y se
vaya de boca al suelo. Todo está bien. Parece que tuvo la
bendición de caer en manos de una buena maestra que ve el
problema y sabe cómo resolverlo. Confíen en ella. Parece ser
la respuesta a la mejor de las oraciones.

Capítulo Cuatro

LOS RESULTADOS
DE LA FRUSTRACIÓN

La frustración (mencionada constantemente desde la década de 1950), no es buena para los niños. Provoca *stress*, inseguridad y socava la autoestima, según dicen los expertos, para no mencionar verrugas en las cuerdas vocales por gritar más de la cuenta. Creyendo en tal cuento de hadas, los padres se esforzaron terriblemente para proteger a sus niños de este azote "terrible". A lo largo de ese proceso, les dieron a los niños demasiado, muy prematuramente y a cambio, requirieron muy poco y muy tardíamente. Como resultado, *los chicos se volvieron malcriados, exigentes e ingratos mientras que sus padres estaban cada vez más frustrados.*

Pues les voy a dar una buena noticia: ¡Los famosos "expertos" de la frustración, estaban equivocados! La frustración NO ES NECESARIAMENTE NOCIVA PARA LOS PEQUES. Más aún: UNA CIERTA DOSIS ES ABSOLUTAMENTE ESENCIAL PARA LA FORMACION DE UN CARACTER SALUDABLE Y UNA BUENA MADURACION EMOCIONAL.

¿Quieren pruebas de ello? Pues ahí van:

* Como señalamos en el primer Capítulo uno de los propósitos de educar al niño es ayudarle a salir de nuestras vidas y entrar con éxito en su propia existencia. En consecuencia, los padres *estamos obligados a criar a los hijos de una manera*

congruente con la realidad a la que han de enfrentarse tarde o temprano los chicos. ¿De acuerdo hasta aqui?

* Es indiscutible que *la realidad del mundo de los adultos comprende una cantidad muy significativa de frustración;* la experimentamos no sólo en respuesta a nuestras propias limitaciones sino también a consecuencia de las limitaciones que nos imponen otras personas y circunstancias.

* *A través de nuestra experiencia con la frustración, vamos desarrollando la capacidad para tolerarla, para aceptar que es inevitable y no dejarnos hundir por ella.* Esta tolerancia permite y fomenta el desarrollo de nuestros recursos y de otras capacidades indispensables y creativas para llegar a una avenencia con cada situación. Las personas que aprenden a tolerar la frustración acaban por tomarla como un reto ante la adversidad y a perseverar en la obtención de sus metas.

* La perseverancia, ese concepto vital de "si fallaste, ¡INTENTALO DE NUEVO!" una y otra vez, es la CUALIDAD PRIMARIA EN CUALQUIER HISTORIA SOBRE EL EXITO. Cualquiera que sea el terreno (laboral, deportivo, social, paterno, conyugal o personal), *la persona que persevera, que insiste, es la que tiene más probabilidades de triunfo.*

* Toda la maduración que hemos mencionado, tiene lugar GRACIAS A Y NO A PESAR DE ESA PALABRA SUPUESTAMENTE FEA DE "FRUSTRACION".

* CONCLUSION: Si quiere que sus hijos se conviertan en adultos con éxito (éxito en el trabajo, las relaciones interpersonales y sus sentimientos hacia sí mismos), tiene obligación de frustrarlos.

Si aún no lo hace, puede comenzar a cumplir con esa obligación dándole a los peques dosis diarias de vitamina "N" ("N"ada de tonterías). Esta vitamina es tan importante para el desarrollo sano del niño como las vitaminas A, B y C. Infortunadamente, la mayoría de los chicos actuales sufre de deficiencia de dicha vitamina N: Tienen padres sobreprotectores y bien intencionados que *les han dado demasiado de lo que desean y muy poco de lo que necesitan.*

HAGA UNA PRUEBA SIMPLE

¿Les ha dado a sus hijos suficiente vitamina N? Veamos. Apunte en una hoja de papel todo lo que ha deseado tener. . . ¡Sí! ¡Deje volar la imaginación! No se preocupe pensando si son cosas útiles, si puede pagarlas, si su pareja estaría de acuerdo. ¡Nada! ¿Qué le parecería ese automóvil alemán de dos plazas con el que siempre ha soñado? ¿Una casa nueva? ¡No, no se detenga! ¿Le gustaría amueblar su casa? Si alguna vez ha codiciado algo, apúntelo. . . ¿Guardarropa? ¿Un yate? ¿Alhajas? ¿Un viaje a Europa? ¿Membresía en un club de tenis? ¡Ande, escríbalo!

Cuando su sueño haya terminado, permita que penetre la realidad. Revise la lista y circule lo que estima razonable, y factible de adquirir dentro de los próximos cinco años. Cuando yo le hago esta prueba a alguno de mis grupos, los círculos no abarcan más de un diez o un veinte por ciento. Si usted circula más del veinticinco por ciento, es usted increíblemente rico o desea muy poco. En otras palabras, la mayoría de nosotros aprende a aceptar el hecho de que en los próximos cinco o diez años no podremos adquirir más del diez o el veinte por ciento de lo que ambicionamos hoy. También recuerdo que lo que obtenemos lo logramos mediante esfuerzos sostenidos, realizando sacrificios y poniendo lo mejor de nuestra parte. Y a lo largo de todo el proceso, toleramos todo tipo de. . . ¿qué? ¡Eso es! Todo tipo de frustraciones. ¡Ya nos vamos poniendo de acuerdo!

Y ahora, en una segunda hoja de papel, haga una lista aproximada de lo que sus hijos van a pedirle durante los próximos doce meses. No lo que realmente les haga falta, sino los extras. Dependiendo de sus edades, desearán juguetes de toda clase, artículos de tipo electrónico, el último grito de la moda en cuestión de pantalones de mezclilla, chamarras y faldas, más el costo de admisión a cines, teatros, espectáculos, eventos deportivos, parques de diversiones y conciertos de rock.

Cuando haya terminado esta segunda lista, circule lo que cási seguramente van a obtener sus hijos durante el año siguiente. No olvide lo que probablemente recibirán por parte de los amorosos abuelos o de otros miembros de la familia. Revelador, ¿no es cierto? Si usted es papá o mamá típico, circuló el setenta y cinco por ciento o más de la lista de deseos de sus pequeños.

Lo anterior significa que la mayor parte de nosotros acostumbramos a los hijos a un estándar material de complacencia y adquisición verdaderamente inalcanzable cuando los niños se conviertan en adultos. Consideremos también que nuestros niños obtienen los objetos sin trabajos, sin sacrificio, sin poner lo mejor de sí mismos, sino chilloteando, manipulando y exigiendo. *Y en el proceso de hipertrofiar sus expectativas materiales, les enseñamos que las cosas pueden obtenerse prácticamente a cambio de nada.*

Y los niños crecerán creyendo en el cuento de hadas de tedoy-todo-por-nada-, sin darse cuenta además, *que las cosas verdaderamente importantes de la vida vienen más del interior ‹que del exterior.* Esto los pone en peligro de convertirse en adultos lisiados, emocionalmente inmaduros, congelados en una etapa egocentrista y codiciosa del desarrollo. En el mejor de los casos, *confundirán el dar y tomar cosas* con un sentido más profundo y significativo de *compartir y confiar en las relaciones humanas.* Cuando a su vez se conviertan en padres, estarán propensos a confundir el sistema de valores de sus propios hijos en forma similar, *ahogándolos con un torrente de OBJETOS.* En este sentido, *el materialismo es una enfermedad heredada, una adicción que se transmite de una generación a otra.* Pero el materialismo no es tanto una adicción a los objetos como una adicción a *adquirirlos.* Eso explica por qué el materialista jamás está satisfecho. Tan pronto como adquiere algo, quiere otra cosa. *Esto también explica la causa por la cual, los niños que tienen demasiadas de las cosas que desean jamás las cuidan.* ¿Para qué? La historia les demuestra que habrá más.

Nuestros hijos merecen algo mejor. Primero, requieren que atendamos conscientemente a su necesidad de ser protegidos, dirigidos y amados. Luego, merecen oírnos decir NO con más frecuencia que SI cuando se trata de sus deseos caprichosos. Merecen que les enseñemos que recibir requiere dar, por lo menos en la misma medida. *Tienen que aprender que las palabras "es mejor dar que recibir" tienen un significado profundo.* Merecen aprender el valor del esfuerzo positivo, creativo, constructivo en contraposición con el esfuerzo que se desperdicia chilloteando, tirando una pataleta o manipulando a los padres. Merecen aprender que el trabajo *es la única forma satisfactoria de obtener algo en la vida.*

En el proceso de proteger a nuestros niños de la frustración,

hemos volteado a la realidad de cabeza. Agreguemos el problema de que el pequeño educado de esa manera equivocada
puede no tener la capacidad para ser autónomo cuando llegue
el momento.

BERRINCHES

Si el sentido común indica que la Vitamina N es esencial
para el bienestar de nuestros niños, ¿por qué nos esforzamos
tanto para proporcionarles no sólo más de lo que requieren en
objetos materiales sino muchísimo más de lo que podrán obtener como adultos? Es indudable que gran parte del problema
tiene sus raíces en la idea de que *"quiero que mis hijos tengan
todo lo que a mí me faltó". Pero también tiene relación con
que muchos padres quieren eludir las consecuencias de rehusar-
se a las exigencias de sus hijos.* Me refiero a berrinches de varios tipos, desde el nene de dos años que se tira pataleando
al suelo y echando espuma por la boca, hasta el del adolescente
de dieciséis que sale, furioso, azotando la puerta y murmurando
toda clase de cosas horribles. Muchos padres se sienten intimi-
dados y hasta muy asustados por las pataletas y ceden. Muchos
ceden antes de que el berrinche se desate en todo su esplendor.
Cuando se les pregunta por qué ceden, la mayoría responde:
*"Porque es más fácil doblar las manos que enfrentarse a una
tromba".*

Es cierto. . . pero a muy corto plazo. *Darse por vencido
resuelve el problema inmediato cancelando gritos, patadas,
portazos y malas razones. Infortunadamente, entre más ceden
los padres a los berrinches, hay más rabietas y cada vez de mayor intensidad.* Cada vez que los padres damos el brazo a torcer
ante una patalera, garantizamos la aparición de no menos de
cincuenta más. Si se permite que el niño elija entre una forma

fácil y una difícil para obtener algo, siempre escogerá la forma sencilla. Para el niño, trabajar y esperar por algo (para no mencionar la horrible posibilidad de no obtenerlo), siempre parece "difícil". *Le parece mucho más simple acabar con la resistencia de sus padres mediante pataleos, gritos y maldiciones.* Lo que el pequeño ignora y lo que muchos padres no parecen comprender es que *darse por vencido ante un berrinche bloquea el desarrollo de la iniciativa, la motivación y los propios recursos.* Con todas esas armas de supervivencia, el niño está destinado a tener menos éxito y por lo tanto, a ser menos feliz como adulto.

Los sentimientos de culpa son otra razón por la que los padres ceden ante las pataletas. Para los padres que piensan que su medida de éxito como tales es tener un hijo feliz, el berrinche demuestra: "No están funcionando bien". Y parecen razonar de la forma siguiente: (a) Los buenos padres tienen niños felices; (b) Los berrinches son señales de desdicha, por lo tanto, (c) Si nuestro nene tira un berrinche, seguramente hicimos algo malo. Pensar de esa manera no tiene sentido, pero es sumamente común. Pensemos por ejemplo en el peque de cinco años que pide galletas media hora antes de comer. Cuando mamita dice "NO", se abren las puertas del infierno: el niño comienza a patalear por toda la cocina y a manifestar cosas tales como "¡Nunca me dejas comer nada cuando tengo hambre!" En respuesta, mamá razona que el berrinche es resultado de una mala decisión que puede resultar en que se sienta inseguro o poco amado o (¡Dios nos libre!) resentido. De modo que le da las galletas sabiendo perfectamente que, como resultado, el peque no comerá su almuerzo. Cuando comprueba que no come, mamita piensa que la experiencia hará que la próxima vez, el niño sea más razonable. La que tiene mucho que aprender es. . . mamita.

Es indiscutible que no hay chico que no haga berrinches. Por una parte, los niños llegan al mundo carentes de tolerancia para la frustracción. Por otra parte, su punto de vista natural esá centrado en sí mismo (es egocéntrico). *Creen que merecen todo lo que se les ocurre desear.* Parte de nuestra labor como padres es ayudarles a desmantelar lenta y suavemente su egocentrismo reemplazándolo con un sentido de responsabilidad social. . . por una buena disposición de hacer a un lado los intereses personales por el bien de la familia, la amistad y la sociedad. *Podría decirse que esta es una de las funciones más importantes de los padres, ya que es la esencia del proceso de socialización... e incluye cierto grado de incomodidad para ambas partes.* La reacción normal del niño ante esa incomodidad, se llama pataleta. *Considerado desde esta perspectiva, el berrinche es la forma en que el pequeñito se deshace de su egocentrismo y madura para convertirse en una persona que comprende cómo funciona el mundo.* Por lo tanto, ES ESENCIAL que los padres aprendan a decir NO a sus niños, y que lo hagan con convicción.

El hecho de que los padres actuales no le ofrezcan a sus hijos suficiente vitamina N, no sólo debilita el carácter de los niños, sino que erosiona a toda la sociedad futura. *Por todas las razones anteriores, la próxima vez que le dé al crío su vitamina N y se azote en el suelo pataleando y maldiciendo, ¡considere que ha hecho usted un buen trabajo!*

¡AQUI ESTA LA RECETA!

Puede comenzar a administrar la vitamina N a sus hijos de la siguiente forma:

1.- Voltéeles el mundo al derecho dándoles todo lo que *realmente necesitan,* pero NO MAS DEL veinticinco por ciento de lo que *simplemente desean.* A esto lo llamo "El Principio de la Privación Benévola".

2.- *No haga por sus hijos lo que ellos pueden hacer por sí mismo.* "Eso puedes hacerlo tú," empuja al desarrollo de la perseverancia y la autosuficiencia. Y cuando el peque declara "No puedo", no discuta con él, simplemente dígale *"Pues yo no lo hago".* Le sorprenderá cuán *creativos y llenos de recursos* son los pequeñitos ante las circunstancias adecuadas.

3.- *No los rescate invariablemente del fracaso y/o la desilusión.* Recuerde que irse de bruces puede ser una experiencia invalorable para el aprendizaje (vea el capítulo sobre la frustración).

4.- *Tenga presente que el simple hecho de que al niño no le guste algo, no significa que no deba suceder o existir ese algo.* Por ejemplo, el hecho de que el nene no quiera quedarse con la nana, la tía o la abuela miestras ustedes salen, no significa que no deban dejarlo. Que el niño madure exige que sus padres resistan la tentación de protegerlo constantemente de la incomodidad de tener que deshacerse de la dependencia.

5.- *Que no les preocupe tratarlo con verdadera justicia.* Recuerden que el concepto que el niño tiene sobre la justicia es "PRIMERO YO. TODO YO. ME TOCA LO MEJOR Y LO MAS GRANDE".

6.- *Recuerden que el hecho de que ustedes tengan una buena posición económica no significa que sus hijos sean sus socios.* La vitamina N les da a los chicos algo por qué luchar y las armas para obtener sus fines.

7.- *No le den a los nenes sobredosis emocionales ofreciéndo-*

les demasiada atención o alabanzas. Si ustedes les prestan demasiada atención, ellos no tienen razones para prestarles atención a ustedes.

PREGUNTAS Y RESPUESTAS

P.   *Nuestra niña de tres años, organiza un berrinche cada vez que no se sale con la suya. ¿Cómo debemos manejarla?*

R.   Responderé a su pregunta relatántole una historia sobre mi hija, Amy: A los dos años y a lo largo del tercer año, Amy era plácida y dócil. En comparación con la mayoría de los nenes de dos años, Amy no daba ningún problema. Si le indicábamos que arreglara su cuarto, lo hacía. En ocasiones, lo ordenaba sin que hubiera que pedírselo. Si deseaba algo y se le negaba, hacía un pucherito leve y se quedaba tranquila. Nos exigía poco tiempo y poca atención y se ocupaba de sí misma la mayor parte del tiempo.

Cuando Willie y yo nos preparábamos a lanzar un suspiro de alivio y darle gracias a El Cielo por aquel don, ¡comenzaron los berrinches! Y comenzaron tan en serio como si Amy quisiera recuperar el tiempo perdido. Cualquier cosa desataba su ira, aunque fuese que interrumpiéramos lo que estaba haciendo. Se deshacía en alaridos cada vez que le negábamos algún capricho ¡y eran muchos! Aullaba cuando le asignábamos alguna tarea, por pequeña que fuese. A veces gritaba sin causa aparente.

Pero no se limitaba a gritar. Comenzaba su patalear poniéndose rígida (ya tirada en el suelo) y azotándose apoyada en la cabeza y los talones mientras emitía un rápido sonido de "¡Aiiii! ¡Aiiii!", que no tardaba en convertirse en un salvaje

aullido de "¡ ¡Aiiiiiiiaiiiiiii!!" Para ese momento, Amy se había
puesto en pie, papaloteaba los brazos y corría en círculos como
un derviche danzante. Llegado el momento, azotaba en el
suelo agitando cabeza, cuerpo, brazos y piernas.

Gracias a Eric (créanlo, sus berrinches eran peores que los
de Amy), Willie y yo nos habíamos desensibilizado y usualmente seguíamos leyendo el periódico o haciendo cualquier
otra cosa hasta que terminaba la tormenta. No obstante,
después de varios meses, nos dimos cuenta de que a pesar de
nuestra actitud indiferente, los berrinches de Amy iban de
mal en peor. Decidimos adoptar otro enfoque.

Durante una tarde pacífica, hablé con Amy: "Ultimamente has estado muy gritona, tanto que te vamos a asignar un
sitio especial para que aúlles. En la casa hay muchos sitios
especiales: para dormir, para comer y para bañarse. ¡Y ahora,
tendrás un lugar especial para gritar! Ven conmigo y te enseña-
ré cuál es".

La conduje al baño para visitas y abriendo la puerta la hice
entrar: "Amy, este es tu lugar para hacer berrinches. Y es
espléndido: Es un sitio pequeñito donde hay una gran reso-
nancia para tus gritos, amén de una alfombrita para que puedas
revolcarte cómodamente en el suelo. Y si gritas tanto que te
den ganas de ir al baño, lo tienes a dos pasos de distancia. Y
si se te seca la garganta por tanto aullar, puedes tomar agua de
la llave. De aquí en adelante, cada vez que quieras gritar, entra
aquí y aúlla todo lo que se te antoje. Si comienzas a gritar
fuera de este sitio, mamá y papá te refrescarán la memoria".

Durante mi monólogo, Amy no hizo otra cosa que observar-
me con expresión de "¡Estás loco!" Siendo una niña que afron-
taba cualquier desafío, no pasaron quince minutos antes de que

comenzara a aullar a dos pulmones. Le indiqué: "¡Qué bonito gritas, Amy, pero tienes un lugar especial para hacerlo", y la arrastré hasta el baño.

Las primeras veces, dejaba de gritar, salía del baño y reanudaba la función en la sala. Sin tardanza, uno de nosotros la regresaba al baño. Una vez que Amy comprendió que aquello se había convertido en un procedimiento estándar de operaciones, sus gritos se interrumpían al cerrarle la puerta del baño. Se quedaba unos minutos allá adentro, haciendo pucheros y planeando cómo asesinarnos (o al menos, así lo suponíamos). Luego, salía, y sin dignarse dirigirnos una sola mirada, se iba a su habitación.

Dos meses después, había controlado sus berrinches. Una mañana, pasé frente a su cuarto y al escuchar unos gemidos, abrí la puerta.

—¿Te encuentras bien, Amy?

—Si —respondió con lo ojos secos y brillantes.

—¿Estabas llorando?

—No. Era Bumpo (Bumpo era su oso de peluche)

—¡Ahhh! ¿Y dónde está Bumpo? No lo veo.

Amy se dirigió al closet y abrió la puerta. Ahí estaba Bumpo.

—Es su lugar para que grite.

P.   *La idea de un lugar para hacer berrinches suena espléndida para los que se presentan en casa. Pero, ¿qué hacer si la* nena organiza una pataleta en el supermercado o en cualquier lugar público?

R.   En primer lugar, no trate de razonar con ella. En segundo, no trate de ignorar lo que está sucediendo ¡porque es imposible! A la brevedad, sáquela de la tienda o llévela a algún sitio apartado y deje que la pataleta siga su curso. Si parece decidida a continuar la función, llévela a casa, a su "lugar para los berrinches". A la larga, vale la pena el esfuerzo y la incomodidad.

P.   *¿Qué debemos decirle a los niños cuando nos señalan que sus amigos tienen cierto juguete u objeto? Si ellos carecen de lo que tienen todos sus amigos, ¿no disminuirá su autoestima?*

R.   No se lesionará su autoestima, ya que ésta no va en función de cuántas cosas poseemos (aunque en ocasiones tratemos de engañarnos con eso). *La autoestima va en función directa del contacto con nuestros recursos interiores, de los dones que llevamos dentro.* Entre más distracciones externas haya en la vida de una criaturita, es más seguro que busque su autoestima en direcciones equivocadas.

Una de las letanías favoritas de nuestros hijos era. "¡Es que todos mis amigos lo tienen!" En vez de discutir con él, le decía: "Comprendo lo que se siente al no tener algo que poseen todos tus amigos. Pero tus amigos compartirán su buena suerte contigo, así como tú la compartirás con ellos. Para eso son los amigos. Y en todo caso, sobrevivirás". ¿Y saben una cosa? ¡Sobrevivieron!

P.   *Si le digo "No" a mi hijo y más tarde me doy cuenta de que debí consentir, ¿debo darle lo que deseaba o sostenerme en mi decisión inicial?*

R.   Depende: Si su hijo tomó serenamente la respuesta negativa y si usted se rehusó sólo por tensiones que no tienen relación con el chico, siéntase en libertad de cambiar su decisión.
Si por el contrario, el chico tiró una pataleta mayúscula y/o
necesita más vitamina N. . . sosténgase contra viento y marea.
Tenga la certeza de que vivir con padres ocasionalmente irracionales no lo matará ni le hará daño psicológico. Además, ¿no
es cierto que a veces la vida es irracional?

P.   *Nuestra hija de trece años ha llegado al punto en que la
ropa común no es suficente y quiere usar artículos de marca
(jeans, tenis, sudaderas, etcétera). Igual que sus amigas, quiere
traer ropa con etiqueta de diseñador. ¿Cómo podemos hacerla
entender que la calidad y el costo no necesariamente van de
la mano?*

R.   No entenderá, e intentar hacerla entrar en razón sólo
les provocará a ustedes un aumento en la presión arterial.

Cuando Eric y Amy entraron en la adolescencia, resolvimos
el problema abriéndoles pequeñas cuentas bancarias en las que
depositábamos sus mensualidades para ropa y diversiones.
Cuando dejaban su cuenta en ceros, sus diversiones quedaban
en ceros. A base de errores y experiencias, aprendieron a administrar su presupuesto, estirar su dinero, buscar ofertas y lograr
más con menos dinero. Una vez que comenzaron a tener
ingresos, nuestra contribución disminuyó y la de ellos aumentó.
Fue una manera más de ayudarles a organizar su propia vida.

P.   *Hace poco, leí un artículo sobre "la cama familiar".
El autor sostiene que los niños (incluso los mayorcitos) que
duermen con sus padres, tienen más confianza en sí mismos,
son más felices y seguros de sí. ¿Debemos recibir en nuestra
cama a nuestros hijos de cuatro y siete años?*

R. No, a menos que ustedes quieran dos hijos que sean menos autosuficientes, felices y seguros excepto cuando duerman con sus padres. Los que abogan por "la cama familiar" están completamente perdidos. No tienen ni un fragmento de evidencia en que apoyarse, y hay mucho para refutarlos.

La importancia de poner una hora fija para que los niños se acuesten *en su propia cama*, es doble: Les proporciona a los padres tiempo para ellos mismos, que buen derecho tienen a disfrutarlo. Además, irse a la cama es un ejercicio de separación y, por lo tanto, de independencia. Es, realmente, el primero de muchos ejercicios futuros, y la forma en que lo manejen los padres tendrá consecuencias importantes y perdurables.

La separación incluye cierta dosis de ansiedad para los padres y para los niños, especialmente cuando son pequeños, pero es indispensable porque impone que los peques se vuelvan menos dependientes y más autosuficientes, lo cual es indispensable en el proceso de crecer y madurar.

En su *best seller, The Road Less Traveled* (El Camino Menos Transitado), el psiquiatra M. Scott Peck dice que muchas personas jamás aprenden a aceptar el dolor inherente a la vida. Cuando se enfrentan con un problema, toman una decisión súbita, impaciente, no razonada o intentan hacer caso omiso del problema. Los padres que nalguean a los niños por llorar a la hora de acostarse, recaen en la primera categoría. Los que permiten que los peques duerman con ellos, pertenecen a la segunda. *Ninguno de los dos se enfrenta verdaderamente al problema.*

En dieciocho años de trabajar con familias, he hablado con muchos padres que dormían con los nenes, pero jamás encontré a ninguno que se sintiera feliz con el asunto. Entonces, ¿por qué no dormían solos esos niños? La respuesta es usual: "Porque llora y grita cuando lo ponemos en su cama". *Lo que los padres no comprenden es que entre más tiempo tarden en enfrentarse al problema de la separación, más crecerá la ansiedad de los nenes y aumentarán los gritos y los llantos.*

De acuerdo con el doctor Peck, dormir en familia es una forma de eludir un problema con la esperanza de que, milagrosamente, se resuelva. Por desgracia, no es posible. *El niño cuyos padres evitan enfrentarse con el dolor de la separación, jamás recibe autorización implícita y absoluta para separarse de ellos.* Al pasar los años, el fracaso constante de los padres para enfrentarse a este problema fundamental, se convierte en un *obstáculo para el desarrollo saludable y maduro.* En mi experiencia y en la de la mayoría de los psicólogos clínicos, *estos niños resultan excesivamente dependientes, temerosos, socialmente inmaduros e indisciplinados.*

Hay una época en que cási todos los niños lloran a la hora de irse a la cama y su llanto nos motiva para abrazarlos protectoramente. Pero este tipo de protección no se ajusta a los buenos intereses del pequeño. *Los niños tienen que aprender a contender con la separación;* los padres deben enseñarle el camino y la hora de acostarse. Es el primer lugar lógico para iniciar las lecciones. No es tan difícil como parece: Imponga una hora fija para acostar al nene y establezca una rutina que la preceda. *Si el peque llora no lo deje que se agote llorando* (como lo aconsejan algunos pediatras y psicólogos). Regrese a su habitación a intervalos regulares para asegurar que sigue usted ahí. Si junto con sus visitas el nene recibe declaraciones reiteradas de que debe quedarse en cama, no pasará mucho tiempo antes de que acepte la rutina normal de irse a la cama a cierta hora.

P.   *Mi hija de ocho años tiene miedo de intentar cosas*

nuevas y se desalienta con facilidad cuando su primer intento para hacer algo no funciona. Por ejemplo, si trato de alentarla para que cruce la alberca tres veces en vez de dos, responde "No puedo". Aunque traté intensamente animarla y de mejorar su confianza en sí misma, no lo intenta. Si su maestra de piano le deja algún ejercicio especial, no acaba de intentarlo cuando ya se dá por vencida. No comprendo por qué es tan baja la autoestima de esta criatura que en todos los demás aspectos es tan capaz. ¿Cómo puedo ayudarla?

R.   El problema de su hija tiene poco que ver con su autoestima y mucha relación con la forma en que usted responde a sus frustraciones. Se está usted involucrando demasiado (en el terreno emocional) en lo que se refiere al desarrollo de su hija, trátese de la natación, de las clases de piano, o lo que sea.

El aprendizaje de cualquier capacidad nueva, involucra cierto grado de frustración. . . *Y cuando su hija se topa con la frustración, usted corre a rescatarla.* Aunque sus intenciones son buenas, la verdad es que le está impidiendo que resuelva la frustración a su manera y a su propio tiempo y ritmo. Su renuencia obstinada a escuchar sus indicaciones es una voz que dice "Déjame en paz, mamita". Cuando usted se involucra en estas situaciones, su hija se ve obligada a contender no sólo con su frustración, *sino también con la de usted.* La consecuencia es que, entre más la presione alentándola, más se resistirá la niña.

Permita que la nena resuelva las cosas a su modo. Si ella quiere hablar con usted respecto a los problemas que tenga para cruzar la alberca o para aprender un nuevo ejercicio en el piano, *escúchela y déjela hablar.* Cuando sea el momento oportuno (después de que ella termine de hablar) dígale: "Aprender cosas nuevas requiere mucho esfuerzo y paciencia. Perder la paciencia

significa que hay que hacer a un lado las cosas y regresar a ellas
más tarde". En otras palabras, *le está usted concediendo la
autorización para sentirse frustada y para "darse por vencida"
aunque sea por un tiempo.*

Si la peque insiste con el "no puedo", encójase de hombros
y diga: 'Pues ni modo. No lo hagas. Si crees que has hecho lo
mejor posible y estás convencida de que no puedes, quizás
debes darte por vencida." Breve y dulcemente. Luego, de la
media vuelta y déjela a solas con su problema.

*Al no dejarse involucrar emocionalmente en las frustraciones
de su hija, la hará responsable de sus sentimientos.* Mi padre lo
difinía como "cocerse en su jugo". Dado que usted se mantiene
al margen, le concede la libertad para intentarlo de nuevo
porque ya en ese caso *puede lanzarse sobre sus propios términos, no sobre los de usted.* Lo más probable es que alcance el
éxito.

P.   *Nuestra hija entró al kinder. Todas las noches, me siento con ella ante la mesa de la cocina mientras hace su tarea, que
no es mucha. El problema de Missy es que no está satisfecha
con la forma en que dibuja sus números y sus letras y que piensa que ilumina de una forma muy deficiente. En consecuencia,
acaba haciéndolo todo tres o cuatro veces a pesar de que su
primer intento haya sido perfecto. Entre más intento reasegu-
rarla, más enfurece. Hay ocasiones en que exclama "¡Soy muy
tonta! ¡No hago nada bien!" Su maestra no se da cuenta de
nada de esto. ¿Qué puedo hacer?*

R.   Guardemos la perspectiva adecuada. En este año, Missy
está pasando por cambios importantes: Va a la escuela por
primera vez; aprende cosas nuevas; intenta complacerla a usted;
trata de darle gusto a su maestra; trata de darse gusto a sí mis-

ma; y además de lo anterior, tiene tarea. ¡No es de extrañarse que se sienta presionada!

La forma en que se maneje el asunto de la tarea, sentará precedentes. Dado que lo conveniente es que la nena acepte su responsabilidad de hacer la tarea, establezca usted metas realistas y muéstrese orgullosa de lo que logre. No creo que quiera que se convierta en una neurótica perfeccionista a los cinco años de edad.

Hay dos puntos muy claros: Primero, usted sabe que puede hacer las cosas bien. Segunda: la maestra no la presiona con su trabajo porque no le concede (y probablemente no le concederá tanta atención como usted, en parte porque no le es posible). Dado que la maestra no se queja, es obvia la conclusión de que entre menos atención se le preste a Missy, mejor será su actitud hacia su trabajo y hacia sí misma. Deje de prestarle tanta atención e imponga tres reglas:

—Primera Regla: Missy hará la tarea en su habitación; se prohíbe la mesa de la cocina.

—Segunda Regla: Si Missy necesita ayuda, deberá pedirla. Si usted se da cuenta de que la niña es capaz de hacer las cosas por sí misma, dígaselo de una manera alentadora: "Ah, eso lo puedes hacer sola; no me necesitas".

—Tercera Regla: Sólo puede trabajar en su tarea durante treinta minutos. Ponga un marcador de tiempo. Cuando suene, haga que la niña se detenga, sin importar que haya terminado o no. Eso impedirá que se obsesione y que la tarea se convierta en un maratón.

Si se queja de que no puede hacer alguna cosa, dígale: "No

quiero dar oídos a cosas que no son ciertas. Yo te amo y confío en que lo harás lo mejor que puedas". Y no discuta más sobre el asunto. Entre más intente convencerla de que es capaz, más se quejará la pequeña.

Sin intención consciente, es la niña quien ha fabricado el problema. Después de todo, no hay prueba alguna de que el problema exista fuera de su imaginación (o de la mesa de la cocina). En realidad, esto es como una telecomedia y ella es la productora de la obra. Cuando se quede sin público (¡usted!), saldrá del aire.

P.   *Tenemos dos hijos, de siete y diez años. Siempre hemos hecho lo mismo por ambos, pensando que así se evitan los celos. Pues no funciona; los chicos siempre están husmeando en busca de si uno tiene algo de lo que el otro carece. La situación se nos está saliendo de control. ¿Qué debemos hacer?*

R.   Si les sirve de consuelo, el mismo plan de ustedes ha fracasado para millones de padres y seguirá fracasando durante los próximos milenios.

¿Solución? *Dejen de tratarlos con justicia.* Para empezar, *su "justicia" bien intencionada es injusta,* porque nadie en el mundo hará por ellos el mismo esfuerzo para tratarlos igual. *Entre más se acostumbren los niños a que la "justicia" es la norma del mundo, más brusco será su despertar ante la realidad del mundo de los adultos.* En el intento de ser "justos" ustedes se han convertido en esclavos de sus exigencias. Descubren sus omisiones y ustedes, los padres, las corrigen dócilmente. De modo que, les pregunto, ¿quién está dirigiendo la función?

P.   *Ahh. . . ¿Y cómo se le ocurre a usted que pueda echarme atrás sobre cinco años de "justicia?*

R.   Simplemente diciéndole a los chicos que el juego ha
terminado. Siéntelos y lea su Declaración de Independencia:
"¡ ¡Escuchen, escuchen todos!! Declaramos y proclamamos
por toda esta casa que sus padres ya no serán justos. Dado
que cada vez se vuelve más obvio que son ustedes personas diferentes, en adelante los trataremos (¡adivinaron!) de modo
diferente. Si por ejemplo, te compramos a ti (señale dramática-
mente uno de los nenes) cualquier cosa, es probable que a ti
(señale al otro) no te compremos nada. Si hacemos algo contigo
o por ti (señale a cualquiera de ellos) es posible que no hagamos
nada contigo o por ti (señale al otro). Si es injusto. . . ni
modo. Si no les gusta (y no les va a gustar) se aguantan porque
así es la vida. ¿Entendimos?"

Y ahora viene lo esencial: Ustedes tienen el hábito de ser jus-
tos y sus niños tienen el hábito de esperar que así sea. Sólo hay
una manera de romper un hábito: ¡De golpe! Y en adelante,
usted y su esposo deben conspirar planeando casos de injusticia.
Por ejemplo, lleven al chico a comprar zapatos. Días después,
lleven al hermanito a comprarle una sudadera. Planeen las
cosas de los niños individual, no colectivamente. Es la única
forma en que aprenderán que *la "injusticia" no mata a nadie.*

No les va a gustar nada, pero nada. Chillarán, harán pataletas,
discutirán y lanzarán maldiciones. . . para empezar. Cuando
suceda, ustedes sentirán el impulso de sentarse a explicarles
que es por su bien y que bla, bla, bla. Los chicos no sólo no
estarán de acuerdo sino que ni siquiera les escucharán. Entre
más se esfuercen por hacerlos "comprender", más berrearán.
Pronto, comenzarán a sentir que a lo mejor actuaron mal y
tratarán de ser justos para enmendar su error; entonces, ¡pau!,
estarán de regreso en donde comenzaron. En vez de apapachar
su desdicha y su cólera, digan a los pequeños que se vayan a

sus respectivas habitaciones y que la descarguen contra su almohada y su colchón.

P. *¿Acaso no hay alguna ocasión en que debamos ser justos y parejos con ellos?*

R. Si se refiere a que debe haber casos en que se les dé lo mismo a los dos niños, la respuesta es afirmativa. No sugiero que jamás hagan lo mismo por ambos o que no los incluyan en la misma actividad. Eso sería desmembrar a la familia.

P. *¿Cuánto tiempo pasará antes de que se ajusten a esta "injusticia?"*

R. Pasarán entre tres y seis meses antes de que se apaguen los aullidos; alrededor de tres o seis años antes de que se acostumbren por completo a la idea; y otros veinte para que comprendan por qué lo hicieron y los perdonen por ello.

P. *Mi hija de cuatro años me pregunta, por lo menos diez veces al día que si la amo. Siempre le respondo que la quiero muchísimo y que la querré hasta el fin de mis días. Hace algunos meses, cuando comenzó esto, pensé que era una etapa que pasaría rápidamente. Pero en vez de mejorar, empeora. No comprendo qué sucedió para que la niña se volviera tan insegura. ¿Qué me aconseja?*

R. Le aconsejo que ayude a su nena para que deje de hacer esa pregunta repetidamente. Para comenzar, el hecho de que la niña pregunte "¿Me quieres?" diez veces al día, *no significa que se sienta insegura.* Probablemente todo se limite a que esté tratando de averiguar qué significa el amor y cuánto tiempo dura. La repetición es uno de los métodos que usan los nenés para aclarar en sí mismos qué quieren decir esas interrogantes.

Ejemplo: Si capta usted la atención de un bebé de seis meses moviendo ante sus ojos algún objeto de colores brillantes y luego lo oculta a su espalda, el bebé no lo buscará. En su mente, el objeto ya no existe. Cuando el bebito tenga unos meses más, responderá al mismo estímulo gateando detrás de usted para encontrar el objeto. Cerca de los ocho meses de edad, los nenes entran en conciencia de que los objetos no desaparecen por el simple hecho de no estar a su vista.

Me ha tocado observar a nenes de diez meses jugando a meter un bloque de madera dentro de una cacerola de cocina, ponerle la tapa a la cacerola y destaparla de inmediato para comprobar que el bloque "perdido" sigue ahí. Igual que cualquier científico, repiten una y otra vez el experimento hasta haber comprobado, más allá de toda duda, que el bloque llegó para quedarse.

De forma similar, su hija trata de establecer la identidad y la permanencia de un concepto intangible *(de una idea invisible)*, quitando la "tapa" de la pregunta "¿Me amas?", una y otra vez. *El problema no es la pregunta de la pequeña. Generalmente, los adultos nos sentimos inseguros sobre nuestra capacidad para educar a los hijos y absorbemos cualquier indicación de que probablemente algo anda "terriblemente mal". Analizamos en exceso y malinterpretamos los acontecimientos; agigantamos el significado de las cosas hasta sacarlas de su justa perspectiva y proporción; perdemos el sentido común y lo reemplazamos con fantasías irracionales.*

Es muy factible que en algún momento, su hija haya percibido que su pregunta lograba que usted se sintiera incómoda y que, tratando de entender por qué se inquietaba mamita, haya decidido repetir la pregunta con más y más frecuencia. Entre más preguntaba, más se le notaba a usted la inquietud y la niña preguntaba más y más.

Las dos viajan en el mismo barco. No saben cómo dejar de incomodarse mutuamente y la peque ignora cómo dejar de hacer la pregunta. Ella no puede ayudarle. *De modo que, como lo dije al principio, es usted quien tiene que ayudarla a ella.*

Busque un momento tranquilo para que ambas se sienten a charlar. Dígale que la frase "Te amo" es como un caramelo con el que las personas se dan sorpresas agradables unas a otras y que a usted le gustaría comenzar a darle sorpresas. Y hágale ver que no puede usted darle la sorpresa si ella sigue preguntando.

La próxima vez que la pequeña pregunte, dígale algo así como "Ah, pero ahora ya no es una sorpresa".

Mientras tanto, llámela varias veces al día para jugar "Adivina. . ."

—Adivina qué. . .

—¿Qué?

—Te amo.

Creo que no existe una sorpresa tan bella como esa.

P.   *¿Es correcto permitir que un hijo adulto viva en la casa paterna? De ser así, ¿qué tipo de acuerdos debe haber entre los padres y el hijo?*

R.   Las razones válidas para que un hijo o hija adulto regrese a la casa paterna incluyen situaciones tales como el divorcio, la pérdida del empleo o alguna enfermedad prolongada. Estas circunstancias de *stress* pueden interferir temporalmente con la capacidad que tiene el joven adulto para ser autónomo; en esos casos, puede ser necesaria la ayuda de los padres (también sobre una base temporal).

Cualesquiera que sean las circunstancias, el arreglo no debe ser "abierto o ilimitado". Padres e hijo deben establecer metas, un plan específico de acción y plazos límite para alcanzar esas metas. Por ejemplo, el acuerdo puede estipular que el joven adulto abandonará la casa en seis meses. El primer mes se invertirá en la búsqueda de un nuevo empleo, el segundo y tercero liquidando las deudas en que haya incurrido, el cuarto y quinto en reunir un respaldo económico y el sexto en encontrar un departamento para vivir.

Durante este periodo de dependencia, el hijo adulto deberá contribuir en algo. Si no puede contribuir económicamente, deberá hacer ciertos trabajos caseros que funcionen como colaboración. Cuando el chico o la chica tenga ingresos, deberá establecerse una escala de "reembolso financiero". En otras palabras, debe pagar por el pan de cada día.

P.   *¿Qué dosis de control deben ejercer los padres sobre el hijo adulto que vive en su casa?*

R.   No más del que ejercerían sobre cualquier otro invitado temporal. Esa situación abarca a tres adultos, no a dos adultos y a un niño. El joven debe ser tratado como un adulto y responder como tal. Asimismo, los padres deben funcionar como adultos, no como padres. Por ejemplo, eso significa que no deben establecer restricciones para que salga de la casa o para su regreso. También quiero decir que el joven adulto deberá entrar y salir con el debido respeto hacia los valores, las costumbres y la forma de vida de sus padres.

P.   *¿Y qué pasa si el joven-adulto viola el acuerdo o se comporta de una forma ofensiva o molesta para los padres?*

R.   En vez de sermonear a castgar al joven, los padres deben expresar su preocupación directamente.   Las violaciones
al acuerdo deben discutirse abiertamente con la intención de llegar a un entendimiento con respecto a la causa de la violación.
Quizás la violación pueda haber resultado de una brecha de
comunicación, o desde el principio el acuerdo fué poco realista
y sea necesario modificarlo. Si continúa el conflicto entre padres e hijo, el siguiente paso es acudir a un terapeuta familiar.

P.   *¿Y que sucede si se cumple el plazo acordado y el
joven no tiene la solvencia económica para regresar a su independencia?*

R.   Deberá hacerse un inventario de qué funcionó mal y por
qué. Deben establecerse metas nuevas sobre la base de lo que
haya estado mal desde el principio, y hacer un nuevo intento.
Si por segunda vez falla el chico para emanciparse a tiempo,
puede haber mar de fondo y conviene consultarse a un psicoterapeuta.

Capítulo Cinco

JUEGOS Y JUGUETES: EL MATERIAL CORRECTO

Recuerdo cuando tenía cinco años de edad: mi vida estaba llena de paredes de piedra y árboles en que treparme, lagartijas que atrapar, escondites, zanjas, parques y lotes baldíos para jugar. Durante esos primeros años de vida, no tenía televisión —ni siquiera sabía que existiera— y conocía muy pocas tiendas de juguetes. Pero mi imaginación tenía alas, y volaba a cualquier lugar: me convertía en cualquier persona que yo deseara.

Por un tiempo, vivimos en una ciudad costera del sur y pasaba las tardes en un parque cercano al barrio ribereño, viendo los enormes barcos y soñando con lugares lejanos como Londres donde vivía la Reina, y Africa, donde Tarzán se balanceaba con los simios a través de los árboles.

Cada noche, ya fuera mi madre o mi abuela, me leían alguna obra clásica de Kipling como "Sólo Historias", "El Viento en los Sauces", o el cuento de Thurber "Trece Relojes".

Dado que mi madre trabajaba tiempo parcial además de asistir a la universidad, me inscribió en preescolar donde realizábamos printuras con los dedos y hacíamos castillos con cajas vacías de avena y soldados con las pinzas de la ropa (del tipo que no tiene resorte). Mamá acostumbraba decirme que éramos "asquerosamente pobres", pero cuando miro hacia atrás, veo que *mi* nivel de vida era alto. Fue un tiempo especial, pero no lejos de lo ordinario, porque en aquel entonces, la niñez era así.

Los años se llevaron mi infancia en un parpadeo, al punto en que yo temía el final de ésta, no como un final Apocalíptico del niño, pero sí la pérdida de lo que es ser un niño y debe ser (y puede) ser en toda la extención del concepto.

Hoy, en vez de mandar al niño (durante sus años de formación) a jugar fuera, lo dejamos "instalarse" frente a la televisión miles de horas, siendo ésta, no más que un pestañeo constante, insaboro, inodoro y una imitación deficiente del mundo real. Atrofian su imaginación a través del desuso, lo hacen abandonar su iniciativa, curiosidad, recursos ingeniosos, asi como también su creatividad.

Hoy, en vez de darle a los niños amplias oportunidades y materiales simples con los que *él* pueda crear con sus propias manos cosas para jugar, les proveemos en demasía con juguetes fabricados en masa, que estimulan relativamente y en mínimas cantidades su pensamiento imaginativo —juguetes que no son nada más que lo que las etiquetas de las cajas dicen que son.

Hoy, en vez de leerle al niño y darle tiempo, dejando a los maestros hacer el resto, los presionamos con las letras y los números desde preescolar, sin comprender que la infancia temprana no tiene nada que ver con números ni letras y sí tiene gran importancia el juego. De hecho, *tenemos muy poco respeto por la enorme contribución que el juego tiene en el crecimiento y desarrollo sanos.* "nada más está jugando" decimos, cuando el "está jugando" es la esencia verdadera de la infancia.

Antes de ir más allá, le llevaré por un viaje en 1989, y a través de la vida típica de un niño de la época: Empecemos con su cuarto, también conocido como la "Villa de los Juguetes". Encontramos objetos regados por todo el piso, apretujados bajo la cama, entrepaños atestados de ellos, más aún en el closet e incluso colgando del techo. Pero ¡espere; Aún hay más!: Bajo las escaleras y decorando el piso de la sala y del desayunador. Otros tantos, "tapizando" las paredes de la cochera e incluso fuera de ésta, así como otro tanto enmoheciéndose en el patio. Si el niño (a) no está en edad escolar, es probable que asista a preescolar y pase la mayor parte de los días jugando con una gran variedad de juguetes de colores brillantes, con dibujos mimeografiados a todo color y aprendiendo a recitar y escribir el ABC. "¡Que excitante!" Si el niño está en edad escolar, es probable que varias tardes de la semana sean empleadas con actividades absolutamente esenciales como futbol, lecciones de piano, y clases de etiqueta social.

Y sin embargo, en medio de estas cosas y tantas actividades, probablemente nos encontremos con un niño que se queje más que otros, de "¡estoy aburrido!" De hecho, si hubiéramos de darle un nombre a la presente generación de niños, esta sería la generación del "¡No tengo nada que hacer!"; esta es, después de todo, su letanía favorita.

A los cinco años, yo tenía cinco juguetes. Consistían en una serie de palitos, un juego de Tinker, un tren eléctrico que corría sobre doce Pies de vía circular, un batallón de soldados a pie y otros a caballo, un canguro, y una pistola de policía con las cachas imitación nácar. A excepción de mi pistola la cual tenía permitido usar cuantas veces quisiera, mi mamá guardaba los demás juguetes en una caja, arriba del closet. Ella les llamaba "juguetes para los días lluviosos". Si el clima lo permitía, esperaba (¿o prefería?) que yo estuviera afuera. Aquella caja "bajaba" sólo si el clima era inclemente o si anochecía temprano. Pero yo nunca estaba aburrido. Nunca me sentía incapaz para encontrar algo que hacer. Y si me hubiera quejado de estar aburrido, estoy seguro de que mi mamá —hubiera encontrado algo en qué ocupar mi tiempo pero seguramente no se trataría de algo asombroso ni divertido.

¿Cómo puede ser que los niños de hoy a quiénes los padres proveen en demasía con actividades y cosas, estén constantemente aburridos? Actualmente la pregunta se responde por sí sola: Los niños de hoy se sienten constantemente aburridos *precisamente* porque los padres les proveén con tantas cosas y actividades.

Tantos juguetes, destruyen la habilidad de tomar decisiones creativas de los niños. El niño no puede decidir qué hacer después porque sus "ruidosos" padres los llenan con demasiadas opciones. Así que se refugia del caos diciendo "No tengo nada qué hacer". Al principio, sus padres se sienten molestos por sus expresiones de impotencia y desamparo. De cualquier forma, eventualmente se fastidian de sus quejas y le compran un juguete nuevo. ¡Y funciona! Deja de quejarse. . . por un tiempo. Tan pronto como su interés por el juguete nuevo disminuye, el niño empieza a gimotear que está aburrido. Esto hace que los padres tarden más en darse cuenta de que en vez de resolver el aburrimiento del niño con un juguete nuevo, sólo lo empeora, confirma y fortalece el crecimiento de la adicción de *adquirir* cosas.

El aburrimiento del niño también tiene mucho que ver con el tipo de juguetes que sus padres le compran. En la mayoría de los casos, son unidimensionales: un camión, un bote, esto y lo otro—. *El tipo de los juguetes producidos en masa, limita a los niños para expresar su imaginación y creatividad, produciéndoles a final de cuentas. . . aburrimiento.*

Lo que también influye es que aunque con la mejor de las

intenciones hemos prevenido a los niños de hoy de tener contacto con lo "mágico" de la infancia. Cuando yo era niño, jugar era un asunto de *hacer*. Por lo tanto, si "los piratas" eran el juego del día, yo tomaba prestada una mascada de color brillante de mi mamá para la banda de la cintura y sus botas para agua. Un palo era mi espada. Mamá me ayudaba para hacer el sombrero, doblándo un pedazo de papel periódico. Unas cuantas piezas de sus accesorios, completaban mi disfraz. Mirándome en el espejo, yo era ¡El Capitán Sangre! Juntos, mis compañeros y yo navegábamos por los siete patios en busca de leche y galletas. ¡Cuánta diversión!

La mayor parte de los niños de hoy, no saben lo que significa el *hacer*. ¿Por qué? Porque nunca han tenido que saberlo. Mucho de esto ha sido logrado gratis por ellos, y se les ha dado demasiado. Sus maestros (quienes deberían saberlo) me dicen que en vez de inventar juegos, los niños de hoy tienden a imitar a los personajes y situaciones de los programas más populares de la televisión. (Esto elimina de la competencia a los "piratas"). El apoyo a esto no es improvisado, se les acostumbra a comprar sus juguetes en una tienda. ¡Qué aburrido! ¡Qué triste!

A través de la magia del hacer, los niños ejercitan su imaginación, iniciativa, creatividad, inteligencia, una serie de recursos infinitos y la confianza en sí mismos. Durante este proceso, *practican su capacidad de inventiva,* descubriendo elementos básico de la ciencia. *Hacer* no sólo es la esencia del juego realmente creativo sino también (y sobre todo) la esencia de la infancia; es también la historia del avance de la raza humana. A lo largo del camino de la historia, el arte del *hacer* ha sido realmente significativo para todas las aproximaciones de los inventos importantes y de cada invento famoso. *El niño que descubre la magia del hacer, está sobre el camino del éxito y la autoestima.*

Quién sabe, si éste niño será nuestro próximo Louis Pasteur, Jonas Salk, Ferdinand Magellan, Thomas Edison, Alexander Graham Bell, Marie Curie... ¿quién sabe?

EL MARCADOR MAGICO DE CHARLIE

En algún lugar, en un sitio y tiempo presente, vive un niño de cinco años de edad, llamado Charlie. Un día, los padres de Charlie escucharon ruidos extraños, provenientes de su cuarto — "¡Ssssssssszzzzzzzzzooooooooommmmmmmmm! ¡POW! ¡POW! ¡POW! ¡Nnnnnnnneeeeeeeeeyyyyyyyyyooooooooowwwwwww!"

Los padres de Charlie caminaron de puntillas, sin hacer ruido, para investigar lo que sucedía. Conforme se acercaban, los sonidos aumentaban de volúmen. De manera silenciosa, abrieron una rendija de la puerta del cuarto de Charly, lo suficiente para poder ver sin ser vistos. Charlie corría excitadamente alrededor de su cuarto, trazando circulos en el aire con un marcador vacío rescatado de la basura y, convertido en una nave espacial dirigida por él. Repentinamente Charlie se detuvo. El sonido alcanzó la cima más alta empezando luego su descenso vertical hacia el "Planeta del Cofre de los Dibujos" Aterrizó y por un momento, nada se movió. Después, Charlie dijo, "Click, Click, Click," y sus padres casi pudieron ver cómo el sistema de la nave abría la compuerta, para dejar salir al comandante espacial.

De inmediato, el marcador mágico se convirtió en el Comandante flotando amenazadoramènte de un lado a otro de la superficie del Planeta, en busca de algo bueno que comer. El Comandante no llegó muy lejos cuando de repente saltó un indio de plástico desde atrás de un montón de ropa interior anrollada. "¡Whoooossshh!" el indio lanzó una flecha al Comandante. Conforme el intruso se defendía, el marcador mágico se convirtió en una pistola de rayos láser con la que se inició el tiroteo en contra del indio haciendo un sonido rápido "¡Shhoooooommmmmmssshhoooommmm!" En los siguientes tres o cuatro minutos, la batalla aumentó su rabia. Finalmente, sintiendo el avance de la batalla, el indio salió de atrás de su refugio de rocas de ropa interior, lanzando alaridos feroces y embistiendo al Comandante. Dándose cuenta de que los rayos mortales no podían competir con el arco y las flechas del indio enloquecido, el Comandante apresuradamente desapareció como una ráfaga, en busca de un planeta más hospitalario.

Cerrando la puerta del cuarto de Charlie, sus padres regresaron de puntillas a la sala. "Bueno", dijo el padre de Charlie, "ahora sabemos qué regalarle a Charlie para Navidad".

"Que si lo sabemos" dijo la madre de Charlie y en coro ambos dijeron: "¡Una nave espacial!"

La mañana de Navidad, Charlie se levantó, para encontrar bajo el árbol una caja con una etiqueta que decía. "Para Charlie de Santa." En el interior estaba la réplica de la nave espacial de compuerta, además del sistema de carga, un módulo de comando con asientos para siete astronautas, y mecanismo retractable para aterrizaje. Dentro de la caja Charlie encontró una base de plástico impresa para simular la superficie de la luna.
La caja, al doblarse de cierta forma, formaba montañas lunares. Charlie se consumía en gozo. Pero la nave espacial no fué todo lo que recibió ésa mañana de Navidad. También había un carro

de pilas para conducir por medio de un control remoto. Además, una pista con carros de carreras. Por si fuera poco, un muñeco sobre una motocicleta que vuela y salta de una rampa a otra. Finalmente, una maleta que al abrirse revela una ciudad miniatura con todo y carros pequeñitos para conducir alrededor de las calles de la ciudad. ¡Qué alegría! ¡Charlie, estaba realmente fascinado la mañana de Navidad!

Tres semanas después, la mamá de Charlie estaba en la cocina preparando la cena, cuando de repente, Charlie entró; lucía descorazonado y abatido. Su mamá le preguntó, "Charlie, ¿Qué te pasa?" Charlie arrastrando los pies, se lamentó: "No tengo nada qué hacer".

La mamá de Charlie sintió como una descarga eléctrica en el cerebro. Volteó hacia él y gritó. "¿Qué quieres decir con eso de que no tienes nada qué hacer? Tienes una nave espacial nueva, un auto a control remoto, un hombre con motocicleta y una ciudad entera dentro de una maleta, sin mencionar todos los demás juguetes que tienes botados en tu cuarto de cumpleaños y navidades pasadas *¿Cómo te atreves a decirme que no tienes nada qué hacer?"*

De lo que la mamá de Charlie no se dio cuenta fue de que Charlie le estaba diciendo la verdad. Realmente no tenía nada qué hacer. Ya había hecho todo lo que se puede hacer con una nave espacial, un auto a control remoto, un hombre en motocicleta, y una ciudad dentro de una maleta. *Lo que Charlie realmente necesitaba la mañana de Navidad eran juguetes con los que él pudiéra* **hacer** *cosas,* en vez de más juguetes que sean agradables a la vista, cuesten mucho dinero, y actúen al manipular un botón. Usted ve la diferencia entre la magia maravillosa del *hacer* de Charlie y la réplica de plástico de la nave espacial con un costo de setenta y cinco doláres. Muy distinto a su

marcador mágico que se convertía en todo aquello en lo que
Charlie quería que fuera. En el transcurso de unos cuantos
minutos, su marcador podía ser una nave espacial, un Comandante o una pistola de rayos laser. Y todo lo que Charlie hizo
para lograr estas transformaciones fue usar la alquimia de su
imaginación. Pero no importa cuánto imagine Charlie, que la
nave espacial se convirtiera en algo más, nunca dejará de ser una
nave espacial, por los siglos de los siglos, amén. En un espacio
de tres semanas, Charlie agotó toda la creatividad potencial, no
sólo de la nave espacial, sino también de el auto a control
remoto, el hombre en la motocicleta y la ciudad de la maleta.
Por lo tanto, tres semanas después de Navidad. Charlie realmente no tenía nada qué hacer.

TRANSFORMACIONES

Como el marcador mágico de Charlie, los juguetes efectiva-
mente creativos, tienen una característica en común: Todos
estimulan y habilitan a los niños para realizar lo que se llama
"Transformaciones". Un niño realiza una transformación, siempre y cuando use algo, cualquier cosa, para representar algo más.
Por lo tanto, cuando un niño toma una piña, la pone sobre la
tierra, y la llama árbol, ésa es una transformación. *Las transformaciones son la esencia de la fantasía. Lo que a su vez, es la
esencia del juego.* En las manos de un niño, una caja vacía puede
transformarse en un bote, un auto, una mesa o cualquier otra
cosa que él desee que sea. Un niño puede también transformarse a sí mismo en cualquier otra persona que quiera ser: Tarzán,
Jane, o el tendero de la colonia. *Si un juguete apoya a un niño
para hacer transformaciones, entonces se toma como bien
empleado el costo del juguete, sin mencionar el tiempo que el
niño disfrutará jugando con él.*

Los juguetes que estimulan las transformaciones incluyen materiales creativos como el barro, crayones y pinturas para usar con los dedos. De hecho, ahí están los accesorios cotidianos de la casa como cajas de avena vacías, botellas plásticas de refrescos, palas, cucharas, cajas de zapatos, carretes de hilo vacíos, sombreros de paja, bolsas de papel, botones, cacerolas, y rollos de papel higiénico vacíos. Y no olvide cuanta diversión puede tener un niño apilando cajas de cartón, transformándolas en edificios. Fuera de casa hay hojas, varas, piñas, piedras y lodo, ¡Glorioso lodo! La lista es interminable, reducida solamente por los límites virtuales de la imaginación del niño.

Cuando era niño, uno de mis juguetes favoritos era una caja vacía de avena. Podía convertirla en cualquier cosa que yo quisiera. La volteaba hacia abajo, pasando una cuerda a través de dos agujeros hechos en los lados y se "convertía" en un tambor que colgaba de mi cuello y que tocaba con dos cucharas de madera. O le hacía dos ranuras en la parte de arriba y otras de lado a manera de puente levadizo, y se convertía en un castillo, un listón, o un sombrero de copa. ¿Cuánto pueden costar éstos juguetes? El precio de una caja de avena. ¿Cuánto gané de ella? ¡Muchísimo! Después de todo, yo las hice con mis propias manos.

Mientras su hijo sea pequeño, enséñele a usar cosas como ollas y canastas, cajas vacías, limpia pipas, y retazos, para hacer sus propios juguetes. *Una vez que le haya enseñado a un niño lo que se puede hacer con una caja, alguna cinta, pedazos de papel de construcción y un par de tijeras, ¡Nada lo detendrá!* Un niño que hace sus propios juguetes no sólo está aprendiendo cómo entretenerse, sino que también está ejercitando su independencia, autosuficiencia, iniciativa, su fuente de recursos, la coordinación de ojos-manos, inteligencia-imaginación, capacidad de logro y realización, motivación-creatividad, y por

lo tanto, su autoestima.   ¿Qué más puede desear un padre?
Existen muchas inversiones que los padres pueden hacer con
su tiempo y energía, mismas que se pagarán al máximo por sí
mismas.

LA COMPRA DE JUGUETES QUE VALEN LA PENA

Los niños de hoy son adictos a los juguetes y las compañías
fabricantes de juguetes los hacen de modo que tengan corta
vida, de todo propósito y para su provecho.   Después de todo,
¿para qué hacer juguetes que duren cuando el promedio de
éstos niños está más preocupado por *adquirir* que por la calidad
de lo que obtienen?

Cuando compre juguetes para su hijo, lo primero que deberá
tomar en cuenta es el hecho de que *los niños son curiosos*.   La
primera pregunta que saltará en la mente del niño cuando usted
le regale algo, será "¿cómo funciona?"   En la mayoría de los
casos, usted descubrirá cómo funciona accionando sus partes.
Desafortunadamente, la mayoría de estos juguetes no están
hechos para esto, pues si lo intenta se romperán.

No todas las compañías fabricantes de juguetes entran en esta clasificación, aunque algúnas de ellas sí. Entonces, ¿cómo pueden saber los padres si los juguetes que están comprando para sus hijos, serán una buena inversión? *Además de ser inofensivo, un juguete deberá reunir cuatro características:*

—*Primera: Que represente un amplio rango de posibilidades creativas.* Si es capaz de "convertirse" en muchas cosas, tantas como la imaginación del niño desee, en vez de una sola cosa definida por el fabricante; en otras palabras, que permita las transformaciones.

-- *Segunda: Que aliente la manipulación de éste.* Que pueda ser desarmado y armado de varias maneras. Los juguetes de éste tipo capturan el interés del niño porque estimulan su comportamiento creativo.

-- *Tercera: Que sea apropiado para la edad del niño:* No regale un pato de hule a un niño de diez años ni tampoco un tren eléctrico a uno de dos años. La mayoría de los fabricantes imprimen en la caja del juguete, la edad adecuada para ese juguete. Aunque no siempre es un dato exacto, le dará una idea bastante clara del "ajuste" entre niño y juguete.

-- *Cuarta: Que sea durable. Tiene que resistir maltrato.*

Un juguete que contiene estas cuatro características posée un excelente "Valor de juego" Cuando los padres me preguntan por algún juguete manufacturado que tenga alto valor de juego, lo primero que viene a mi mente son los modulares de construcción. En mi opinión es el único sistema de juego que calificaría con un "10" por reunir los cuatro puntos mencionados. También materiales de arte-barro, pintura con los dedos papel para construcción, crayones, tijeras — estos artículos deben ser de uso común en la vida de los niños.

En relación a las muñecas, la nueva generación de abrazos y mimos, llamadas también "muñecas adoptivas", habilitan a los niños para explorar los sentimientos materiales y paternales y a actuar como tales. Estas, son más creativas e imaginativas que las muñecas que caminan, hablan, beben de una botella, y mojan sus pantaletas.

Y ya que estamos hablando de muñecas, debo mencionar qué tan importante es que los padres no limiten a sus hijos los juguetes en base a lo que se considera apropiado para un sexo o el otro. Las muñecas y los animales de peluche, son tan apropiados tanto para las niñas como para los niños. Si su hijo quiere jugar con muñecas, ¡cómprele muñecas! Si su hija quiere jugar béisbol, ¡cómprele un bat y una pelota! Entre más libres son los niños, son más capaces para explorar las posibilidades de la vida, presentándoles mejores aportunidades.

Sorprendentemente, la mayoría de los juguetes "educativos", tienen un bajo "valor de juego". Son unidimensionales y retan la imaginación e inteligencia del niño por un periodo de tiempo relativamente corto. Los juguetes educativos atraen en primer lugar a los padres, quienes equivocadamente piensan que los juguetes de este tipo aceleran el desarrollo de sus hijos o los preparan más rápidamente para la escuela. De cualquier modo, en general su valor educativo es bajo, superficial y un substituto pobre de naturaleza y actividades más baratos.

Quiero hacer notar que los juguetes mencionados arriba tienen un alto "valor de juego", y se han mantenido en el mercado por treinta años o más. Además, se ajustan a este criterio incluyéndo los bloques, trenes eléctricos (el niño puede usar leños y modulares para hacer la estación del tren, edificios, puentes y túneles, etcétera), coches con cajas de cerillos, figuras pequeñas de plástico (una bolsa con soldados de plástico o indios y vaqueros), muñecas, casas de muñecas, (al niño se le puede enseñar cómo hacer el mobiliario con papel de construcción), pistolas de policía y maravillas por el estilo. Para los niños más grandes, los juguetes "maleta" pueden llegar a ser el núcleo de un jobi tales como juegos de química, telescopios y microscopios, colecciones de piedras, modelos y similares. Un niño obtendrá mucha más experiencia con los juguetes fabricados "a la antigua" que con la "chatarra" de la actualidad.

MENOS ES MAS.

Hace varios años, una pareja me consultó, preocupada acerca de su hija de apenas tres años de edad. La mayor parte de los problemas que describiéron, eran los típicos de la edad, pero uno de ellos era especialmente intrigante.

"Molly, no se aparta de nuestro lado", dijeron. Además de seguirnos por toda la casa, constantemente nos pide que juguemos con ella, y es un triunfo cuando no lo hacemos. A ninguno de nosotros nos importa jugar un poco con ella, pero sentimos que con todos esos juguetes que tiene, no debería tener ningún ploblema para entretenerse sola."

Mis oídos se irguieron: —¿Cuántos juguetes tiene? —pregunté. ¿Y de qué tipo son?

Molly tiene tantos juguetes que difícilmente se puede caminar dentro de su recámara sin tropezar con alguno, —dijo su padre. —Y el tipo de juguetes que tiene, en su gran mayoría son los que anuncian por televisión.

Eso era todo lo que necesitaba oír para saber cuál era el problema.

Primero, ayudé a los padres de Molly para determinar el "valor de juego" de sus juguetes en una escala del 1 al 10. Aquéllos que obtuvieran menos de siete serán regalados para obras de caridad. Naturalmente ésto redujo el total de 10 a 9. Aquéllos que quedaron incluían muñecas suaves y con alguna "gracia", algunos animales de peluche, un grupo de bloques y una casa de muñecas.

Despúes, los papás de Molly fueron a comprar juguetes. En vez de la chatarra que constituía la mayor parte de los juguetes anunciados por televisión, compraron algunos bajo el criterio de los cuatro puntos clave mencionados anteriormente dentro de este mismo capítulo.

Para crear un medio ambiente que alertara a Molly a la exploración, sus papás adaptaron su casa a prueba de niños. Quitaron todo aquéllo que pudiera ser peligro potencial así como lo que no fuera fácil de reponer si se rompía. Esto aseguró que Molly pudiéra "circular" por la casa sin que fuera necesaria mucha supervisión. Esta adaptación "a prueba de niños" también disminuyó el número de veces que Molly tenía que escuchar la palabra "no", haciéndo más factible su obediencia.

Los padres de Molly también aseguraron los cerrojos de cada uno de los gabinetes de la cocina destinándo uno a Molly, el cual era llamado "el gabinete de Molly". Sus padres lo surtieron con cajas vacías de cereal, carretes de hilo, cacerolas, canastas, cajas de todos tamaños y otros aditamentos seguros, los que de otra manera hubieran ido a dar a la basura. Este era un lugar en el que Molly podía acudir para escarbar a su antojo.

Por último, pero sin considerarlo menos importante, los papás de Molly fueron a una tienda y compraron una enorme caja de cartón grueso a la que cortaron para hacerle ventanas y una puerta. Dentro, una silla pequeña, acompañada de algunas muñecas y accesorios caseros. Lo justo para horas y horas de juego imaginativo.

Una semanas después, vi a los padres de Molly. Con certeza, Molly se había entretenido sola mucho mejor que antes y demandado mucho menos la atención de sus padres. —Molly ha vuelto a ser una niña muy feliz —dijo su mamá.

La historia de Molly no es única. En los últimos diez años, he hecho las mismas recomendaciones, por lo menos a veinte padres. De los cuales, quizás diez han tenido la perspicacia de continuar hasta el fin. El experimento no ha fallado. Cada padre ha reportado los mismos resultados básicos: *Entre menos juguetes y más espacio para el niño, más posibilidades tiene de crear y explorar, y más éxito al ocupar su tiempo. Entre más exitosas sean las experiencias del niño a través de lo que es más natural que, cualquier otra cosa — jugar —, más feliz será. Estas historias de éxito demuestran que algunas veces, "menos es más".*

LA IMPORTANCIA VITAL DEL JUEGO

La historia de Molly subraya qué tan importante es el juego para un desarrollo saludable.

Primero: Los juegos son un "ejercicio" que el niño necesita para convertirse en un individuo plenamente competente. Jugar es una experiencia multidimencional, incluyéndo todo lo relativo a la percepcion, motricidad, sentidos y equipo cognitivo del niño. Es una experiencia de aprendizaje total como ninguna otra. El juego es un catalítico, de desarrollo durante la infancia tan efectivo como el medio ambiente.

Segundo: Estudios recientes han demostrado de manera definitiva, que el juego libre durante la infancia temprana, propicia el desarrollo de una personalidad bien redondeada y habilidades sociales sanas. Los niños privados o excluidos del juego imaginativo están más propensos a convertirse en niños demasiado agresivos o deprimidos.

Tercero: El juego provee al niño con un contexto no amenazante, mediante el cual puede explorar y empezar a entender el mundo del adulto. Es a través de la fantasía del juego, como el niño logra entender y resolver cosas que de otra manera le causarían confusión grave — tales como el divorrcio, enojo de los padres, la muerte y demás.

Cuarta: El juego ayuda al niño a liberar *stress* y desarrollar su sentido del humor. Dentro de este contexto, el juego ayuda al desarrollo de los niños para convertirlos en adultos capaces de divertirse.

El juego también es un vehículo para el aprendizage significativo. especialmente para aprender a aprender. A través del juego, los niños hacen preguntas, exploran su medio ambiente, aprenden a resolver problemas de tipo esencial, actúan roles sociales, y — en general — fortalecen todas sus facultades, mismas que lo habilitarán para desarrollar todo su potencial.

Desafortunadamente, durante los últimos treinta o cuarenta años, nos las hemos ingeniado para edificar un sinnúmero de obstáculos en el camino de los niños pequeños en cuanto al deseo innato para expresar su imaginación y desarrollo a través del juego. Hemos inundado a los niños pequeños con juguetes que *"aplastan"* su poder de creatividad. Les hemos permitido sentarse frente al aparato de telivisión hora tras hora mientras se atrofia su imaginación por el desuso. En vez de leerles y darle tiempo al niño permitiendo que, por su parte, la escuela haga su trabajo, los presionamos con tarjetas fosforescentes, letras y números cuando aún están en edad preescolar, perdiendo de vista el hecho de que estas "actividades" son completamente irrelevantes para el desarrollo y desenvolvimiento saludable.

Durante los años recientes la inclinación ha girado alrededor de la idea de organizar el tiempo de los niños pequeños con lecciones de música, deportes, clases de etiqueta, instrucción académica temprana y demás. Pensamos de manera equivocada que estas cosas son mucho más significativas que el juego, cuando es exactamente lo contrario. Además, precisamente porque se ha planeado y hecho tanto por ellos, muchos de los niños de hoy han olvidado cómo planear y hacer las cosas por sí mismos.

DEVUELVALE SUS JUEGOS AL NENE

Uno de los aspectos más molestos de las actividades enloquecedoras del "después de la escuela" es la tendencia a "envolver" a los niños cada vez más pequeños, dentro de programas organizados de deportes. En mi pueblo natal, por ejemplo, los niños de cinco años están participando en golf, futbol soccer y competencias de natación. Estos programas son absolutamente irrelevantes para el desarrollo mental necesario —social, físico o de otro tipo— de los niños pequeños. Además, estas actividades pueden ser dañinas, especialmente durante la media infancia (edades entre seis y diez años).

La psicología del niño pequeño en edad escolar puede resumirse en dos palabras: *aceptación y realización*. Su autoestima gira alrededor de qué tan exitoso es en cuanto a crear un lugar seguro para sí mismo por medio de investigar y obtener objetivos específicos de excelencia.

Los deportes organizados parecen ser un complemento ideal para las necesidades de los niños de esta edad, el medio perfecto para el desarrollo y nutrición tanto internas como externas del niño. No es así. *El problema primario es la intervención de los adultos.* Los adultos organizan estos programas de adultos para incrementar sus fondos económicos; los adultos diseñan los programas de juego; los adultos seleccionan los equipos; los entrenan; funcionan como árbitros; y deciden quién juega y quién no; otorgan los premios y conforman la gran mayoría entre la audiencia.

Pero esto no termina aquí. Los adultos no sólo interpretan el papel principal en cuanto a la planeación y organización de estos eventos; también son ellos quienes *determinan cúal de los niños sobresale lo suficiente como para pertenecer al equipo, la forma de resolver los conflictos entre los niños y demás.*

Los adultos no tienen absolutamente nada qué hacer involucrándose en los juegos de los niños. **Su presencia complica el hecho de que los niños aprendan a negociar problemas sociales por sí mismos.** Todo esto en vez de ser actividades para los niños, se convierte en un teatro donde los niños son manipulados *para gratificación de los adultos.*

El hecho de que estos deportes son competitivos, no es tal: Son perturbadores por sí mismos. Un niño de esta edad necesita (si se le permite) formar sus propias ideas y se esforzará por alcanzar experiencias competitivas por sí mismo. Lo que *es perturbador* es *que el niño se vea enredado* (por culpa de los adultos) *dentro de sus procedimientos, pues no juega por divertirse sino para obtener la aprobación de los adultos.* No están *jugando* en lo absoluto. Están *trabajando* y actuando para un público adulto.

La diferencia entre el juego competitivo y el trabajo competitivo, puede ser medida en términos de los resultados y éxito
emocionales. Cuando el niño une el juego, con arena, un equipo
gana y el otro pierde, pero todo mundo se las arregla para dejar el campo de batalla sintiéndose bien. *Cuando los adultos
"dirigen"los eventos deportivos organizados, logran que los niños del equipo perdedor* frecuentemente *terminen sintiéndose
enojados, frustrados, avergonzados, desalentados, y/o* deprimidos. *Esto no es jugar.* Esto es serio y los errores son muchos.
Demasiados.

Dentro de este contexto, el niño atleta forma su criterio de
logro y autoestima en base a términos de ganar o perder. El
proceso y la participación quedan como resultado, en el "asiento de atrás", lo cual está muy lejos de ser aquello de lo que se
trata la infancia. Todo mundo sufre, pero *el mayor perdedor es
el niño que no juega porque no es lo suficientemente "bueno".*

El problema básico — que no está limitado a este aspecto —
es la tendencia de los adultos a actuar pensando que los niños
no lograrán un buen desarrollo a menos que nosotros lo estruc-
turemos por ellos. La verdad es completamente lo contrario.
*Cuando nos colocamos entre el niño y su mision de crecimien-
to, dejamos de estar en una posición útil y de apoyo.* Estamos
interfiriendo y e*l niño no estará en condiciones de relacionarse
y negociar con la vida de manera natural.*

Cuando Eric tenía cerca de diez años, estaba interesado en
el fútbol soccer y disfrutaba cada uno de los partidos del barrio.
Como padre orgulloso, empecé a asistir a los juegos. Las gradas
estaban siempre atestadas de padres, muchos de ellos aullán-
dole a los niños que patearan más, fueran más agresivos y
demás. Si le gritaban a los jugadores también lo hacían al
álbitro. El entrenador se paseaba por el lado de la línea, observando el juego, muy serio y ocupado.

Al final de estos juegos mientras me mezclaba entre los jugadores y sus padres, frecuentemente escuchaba comentarios como "Si no pateas y empujas, entonces no vas a jugar" y "Si huu-
bieras estado más atento, no hubieras perdido ése tiro". Me sentí aliviado cuando Eric me dijo que quería dejar de jugar.

Varios meses después, Willie y yo fuimos a la pista local para correr, y un equipo de pequeñitos estaba practicando fútbol.
Cuando terminamos de correr, descansamos en la colina viendo
el campo desde arriba. Para este momento, la práctica había
terminado y los pequeños jugadores con rodilleras y cascos es-
peraban en la línea al final del campo. Observamos mientras
nuestro asombro crecía, conforme la cabeza del entrenador se
pavoneaba orgullosa de arriba hacia abajo frente a los niños
(ninguno de los cuales era "mayor" de nueve años,) gritándo-
les por ser tan "nenitos".

"¡Son una bola de nenitos torpes!" Les gritó. "¡Pelean como una bola de niñas! ¿Son niñas? Tu, Waldorf, ¿eres una niña? ¡Contéstame, Waldorf! ¿Eres una niña? ¿No? ¿Qué es lo
que te pasó en el juego? Tienes miedo de que te lastimen? No
empieces a llorar Waldorf, porque detesto esos papelitos de ne-
nas".

Siguió y siguió hasta que mi presión sanguínea aumentaba
junto con una sensación de ultraje. Willie me disuadió de con-
frontarlo señalándome que él era dos veces de mi tamaño y
obviamente lo suficientemente despreciable como para que mi
opinión acerca de su perorata soez no le impresionara. De hecho
probablemente le hubiera agradado la oportunidad de demos-
trarle el equipo la forma en que un "verdadero" hombre maneja
los problemas.

Cuando era un niño, los deportes eran una de las cosas más

importantes en mi vida. Junto con los otros niños de mi barrio suburbano de Chicago, jugaba fútbol en el otoño, béisbol durante los días gloriosos de la primavera y el verano. Nuestros juegos eran siempre elegidos por *"juegos para jugar"* en los campos adyacentes a la escuela local o en el parque. Llegábamos ahí en nuestras bicicletas. Difícilmente éramos suficientes jugadores como para realizar un partido en forma, así que modificamos las reglas para adaptar la situación.

Nunca habían adultos en nuestro juego. Nosotros éramos los jugadores, los entrenadores, y los árbitros. Gritábamos uno a otro animándonos para lanzar, nos elogiábamos y criticábamos uno a otro durante los juegos y nos burlábamos mutuamente. A pesar de todo esto, rara vez existían resentimientos. Todo era parte del juego y desde el momento en que el juego era *exclusivamente nuestro*, podíamos hacer de él lo que se nos antojara. Durante el proceso aprendíamos cómo hacer a un lado nuestros intereses personales para lograr el beneficio del grupo, cómo ser buenos ganadores y buenos perdedores, cómo resolver conflitos y la forma de llevar nuestras propias vidas.

El béisbol del Lago Little, era el único lugar accesible para jugar organizadamente a exepción de los deportes dentro de la escuela, que no incluían a niños sino a partir del séptimo grado. Durante los primeros años de la adolescencia, mis "cuates" y yo observamos cómo crecieron los programas organizados de deportes y empezamos a sentirnos fascinados por nuestro campo sagrado de juego. El punto clave para nosotros fué el dia que con toda educación pero firmemente se nos pidió que abandonáramos el campo en el que jugábamos, porque el equipo del Lago Little lo necesitaba para sus prácticas.

Cerca de veinte años más tarde, tengo la certeza de que esos niños rara vez jugaron alguno que otro partido. En algún lugar a lo largo de la línea, a alguien se le ocurrió la brillante idea de

que los deportes serían una experiencia de aprendizaje sumamente productiva y llena de significado si los juegos los mane-
jaran los adultos. Los adultos podían vigilar que las reglas se
respetaran, que el juego fuera justo, fomentar las habilidades de
los niños a través del entrenamiento adecuado, solucionar
adecuadamente, etcétera.

Los resultados finales de ésta bien intencionada pero imperti-
nente intervención es que los niños no tienen la oportunidad de
descubrir y trabajar éstos aspectos por sí mismos. *En suma, se
crea un ambiente tenso e insano de profesionalismo que invade
los programas de deportes y la organización de los niños.* Es más
que obvio que los niños están en el campo de juego, no para divertirse, sino para *actuar* para los adultos quienes a su vez están ansiosos por sobarse el ego.

Así que, expreso mi objeción. Y la gente me responde diciendo cosas tales como, "Ya sé, ya sé, pero John, los deportes
son tan competitivos en estos días que si tú no inicias a los niños desde pequeños, no serán capaces de formar parte del e-
quipo de la secundaria".

¡Puras tonterías! El mismo argumento pobre, es utilizado para justificarse cuando presionan a los niños en edad preescolar
para aprender a leer. Los estudios demuestran que entre más
temprano se presiona a un niño para aprender a leer, menos
felicidad y alegría obtendrá de esa actividad y finalmente los resultados serán menos exitosos. Sospecho que lo mismo sucede
con los deportes organizados para niños. *Y enfrentémonos a
esto: La alegría (no la presión de los padres) es la esencia del
éxito, ya sea dentro del salón de clases o en la cancha.*

Lo que yo digo es: dejen a los niños recuperar sus juegos.

P. *Mi mejor amiga se rehúsa a comprar a su niño lo que ella llama "juguetes de guerra".* (pistolas, juguetes de equipo bélico, figuras de acción como super héroes y todo lo que se le parezca) *Sostiene que refuerzan la idea de que la fuerza es el camino más adecuado para resolver los conflictos. Yo estoy indecisa. ¿Usted que piensa?*

R. Entiendo el punto de vista de su amiga, pero no creo que los juguetes de guerra tengan tanto impacto en los niños, como ella dice. Si la guerra no existiera, tampoco habrían juguetes de guerra, y dudo que lo contrario sea real. Los niños han jugado con juguetes bélicos así como a la guerra desde que el hombre se las ingenió para "organizar" su propia guerra. A pesar de esto, no hay razón para pensar que jugar a la guerra desarrolla el comportamiento agresivo.

Los niños también juegan a las actividades de los adultos ya sea profesionales o de diversión.

Pero el juego de un niño no determina su valor. Los niños que juegan a "los esposos" y terminan jugando al "divorcio" solo están tratando de entender por que los adultos se divorcian, por medio de actuar el papel de divorciados. Esos mismos niños no son como los adultos que piensan que el divorcio es la solución para los problemas materiales.

PREGUNTAS Y RESPUESTAS

La calidad y cantidad de los juguetes que los padres compran para sus hijos tiene un efecto significativo. Como ya he dicho, demasiados juguetes del tipo equivocado tienen efectos inhabilitantes en el desarrollo, imaginación, creatividad, iniciativa y fuente de rucursos. *Pero el valor estructural de un niño y su*

concepto del bien y el mal lo determina (en primer lugar,) la
interacción con los padres y no la interacción con los juguetes.

Lo mismo se puede aplicar a los juegos y juguetes de guerra.
Son un medio, no una amenaza. En y por sí mismos son ino-
fensivos. Un niño que juega a la "guerra" y "policías y ladro-
nes" manejará la realidad y la violencia mejor que un niño que
no lo hace. Un niño que crece dentro de un clima de violencia,
es otra historia.

En general, no me gustan los juguetes de guerra por la misma
razón que no me gusta la mayoría de los juguetes del mercado
actual: Son demasiado limitados y por lo tanto no incitan ni
estimulan la imaginación. Una pistola de juguete hecha con cu-
bos por el mismo niño, o un coche, es infinitamente superior
a una comprada en la tienda.

Debo mencionar que la pistolas reales, incluyendo las de diá-
bolos, municiones y rifles de aire: No son juguetes. Son armas, simple y llanamente. Como tales no corresponden a las
manos de un niño, y proporcionarles una de estas armas no los
llevará mas que a un desastre con las autoridades. Si usted quiere enseñarle al niño a apuntar y disparar, cómprele una cámara.

P.   Si un niño pide participar en algún juego organizado o
tamar clases de piano y más tarde se niega a continuar, ¿debemos llevarlo hasta el fin del curso?

R.   No y tal vez.

Los niños deben ser libres de tener acceso a actividades como el fútbol y clases de piano con la idea de "jugar". En los
niños pequeños, el deseo inicial de tomar parte en un deporte
o una actividad no es nada más que una expresión de curiosi-

dad. Por esta razón, un niño no debe sertirse obligado a participar, o continuar participando por la presión de los padres o por la obligación. Hablando en general, debe ser tan libre de renunciar como de disfrutar dicha actividad. No se le debe pedir que tenga mejor excusa para renunciar que: "Ya no quiero".

Los padres que rehúsan permitirle a la o el niño salirse de algo que a la criatura le parece aburrido, incapacitan la naturaleza experimental de estas actividades. *Un niño que no es libre de renunciar se convierte en un solitario que se pliega y que teme disfrutar algo que al principio le puede parecer atractivo pero que al final no lo es, por miedo de verse obligado a continuar.*

Un niño que es libre de renunciar a una actividad, entra dentro de su propia iniciativa y no está en peligro de desarrollar una "actitud de renuncia" a lo largo de su vida. Por el contrario. *La base del éxito — iniciativa, motivación, persistencia y capacidad de logro. . . se desarrolla sólo cuando se le permite "tocar" y conocer la totalidad (tomar la raíz y la flor).* Los padres que se apropian de estos atributos y que intentan imponerse por encima de la voluntad del niño, sin quererlo, están haciéndo más daño que beneficio.

La excepción confirma la regla: Es poco frecuente la efectividad de hacer un trato con un niño que implique periodos especificos de compromiso, relativo a determinadas actividades, especialmente aquellos que sean una inversión monetaria significativa. Por ejemplo, los padres deben esperar que el niño se comprometa a dos años de lecciones antes de comprar el instrumento musical que le interesa aprender a tocar. En éstos casos, el niño aprende algo acerca de la responsabilidad y obligación.

Para ser más ilustrativo: Había una vez, una niña de nueve

años de edad, llamada Amy Rosemond quien deseaba tomar clases de piano, así que sus padres contrataron a un maestro, y
Amy empezó sus clases. Antes de precipitarse a comprar un
piano, sus padres decidieron "esperar y ver".

Después de cerca de un año, el maestro de piano dijo: "es
tiempo de conseguir un piano", y Amy dijo. "¡Por favor, por
favor !" Asi que papi llamó a su madre y le dijo. "Abue, ¿re-
cuerdas el piano de la familia? , ¿el que nadie toca? Bueno..."
y la abuela accedió llevarle el piano a Amy. Insistió en manejar personalmente el camión que rentó desde Chicago hasta Carolina del Norte. La abuela sólo cnfía en... la abuela.

Mami y Papi, le dijeron a Amy que es una niña de mucha
suerte así como "este es el trato: A cambio del piano, tu debe-
rás comprometerte a continuar con tus lecciones mientras vi-
vas en esta casa". Amy dijo estar de acuerdo.

Así que llegó el piano y Amy tocaba alegremente. Así fue
por cerca de dos años. Después empesaron las quejas: "¡Odio
el piano! ¡No quiero seguir! ¡No me gusta practicar!"

Mami y papi le recordaron a Amy el trato, añadiendo, "Lo
único en lo que quedamos fue en que tomarías tus lecciones.
Nunca dijimos que tuvieras que practicar. Esto es entre tú y
el maestro".

Así que Amy dejó de practicar. Sus padres no dijeron nada.
Pasaron seis semanas cuando de repente, en un dia soleado, se
empezó a escuchar el piano por toda la casa. Los papás de Amy
no dijeron nada. Durante seis meses, Amy tocó y tocó. Entonces empezaron de nuevo las quejas. Sus padres le recordaron el
trato y las prácticas terminaron pero las lecciones continuaron.

Seis semanas más tarde, la escuchamos practicar nuevamente. . . . . y así ha sido desde entonces. Y todo va bien con Amy, practique o no.

P.   *Nuestra primera hija tiene siete meses de edad. ¿Cuándo debemos empezar a leerle?*

R.   Hace un mes. En serio amigos, un niño nunca es demasiado joven para leer. Los padres deden empezar a hacerlo no después de los seis meses de edad, pero si lo hacen desde que tenga seis semanas, mejor.

—Pero usted dijo, "es posible que no pueda ver los dibujos".

—Está bien. Los dibujos de cualquier modo no significan leer. Mi madre o mi abuela me leían todas las noches antes de ir a la cama, hasta que cumplí los seis años. Los libros no tenían muchos dibujos: algunos ninguno. Yo no conocía nada mejor, así que nunca me quejé. Pero ponía atención y hacía uso de mi imaginación. De hecho, *probablemente ejercité mi imaginación mucho más que si hubiera tenido acceso a más dibujos.* No estoy diciendo que los dibujos causen detrimento de ningún modo, sólo que no son esenciales.

Cuando yo leía para Amy y Eric, generalmente prefería libros con muchos dibujos porque esto nos empujaba a abrazarnos. Los dibujos también nos daban la oportunidad de jugar al "Enséñame. . . ." y "¿Qué es esto?"

La lectura temprana estimula al lenguaje, la percepción y el desarrollo cognoscitivo. Los estudios también han demostrado que conforme aumenta la habilidad del niño en cuanto a la comunicación, conjuntamente aumenta la coordinación motríz. Esto tiene gran sentido no sólo porque un medio ambiente enriquecedor estimula las habilidades del niño en todas las áreas,

sino porque también el desarrollo del lenguaje y el comportamiento. motriz están estrechamente vinculados durante la infancia temprana.

*La nutrición que toma lugar cuando un padre lee, ayuda a
fortalecer el sentido de seguridad en el niño.* A su vez, contribuye profundamente al crecimiento de la independencia, seguridad
y competencia intelectual — esto constituye las bases de la autoestima. Como ve, la lectura temprana y continuada es una de
las mejores inversiones que puede hacer para el bienestar de
sus hijos. De cualquier forma, no confunda el propósito de la
lectura temprana con enseñarle a leer. Cuando se siente a leérle
a su hijo, hágalo pensando que es algo que van a disfrutar los
dos. Si empieza a leérle ahora y lo hace regularmente, le enseña que leer es muy agradable, y éso más que suficiente.

No es extraño que un niño de tres o cuatro años de edad empiece repentinamente a leer, cuando se le ha introducido hacia
la lectura durante la edad temprana. Con la suficiente orientación, algunos niños descubren cómo leér por sí mismos. Si no
es así, y aprenden a leér en el primer año, también está bien.

No se preocupe por lo que usted seleccione, siga éstos puntos:

—Léa a su hijo, por lo menos treinta minutos todos los dias.

—Elija aquellos libros que usted disfruta de leer. ¡Entre más
los disfrute usted, más los disfrutará su hijo!

—Lea ligeramente por encima del nivel del vocabulario actual
de su niño.

— ¡Lea con sentimiento, con gusto! ¡Déle a cada personaje un acento distinto! Cante algúnas páginas.

—Colóquese *cerca* de su hijo.

— ¡Disfrute de estos momentos maravillosos!

P. *Nuestro programa preescolar para niños de cuatro años se preocupa (como simpre) por las habilidades sociales y creativas, enfatizando éstas más que las académicas. De la misma forma, recientemente los directivos de una escuela despidieron a una nueva maestra que quería enseñar a un niño de cuatro años, matemáticas y lectura. Según ella, un niño de esta edad está listo para empezar su instrucción académica. Los padres diferimos al respecto; algunos están impacientes por iniciar a sus hijos dentro de una formación de este tipo y otros se resisten a cualquier cambio. ¿Cuál es su opinión?*

R. La pregunta fundamental al respecto es "¿Que, si cualquier cosa significa para el niño un aprendizaje ya sea aprender a leer o problemas aritméticos a los cuatro años?"

La respuesta es: "Nada"

Tome a dos niños de cuatro años de edad, con un mismo nivel de habilidades, enséñele a leer a uno y las bases de matemáticas, pero espere para empezar la instrucción formal con el otro, hasta que él o ella ingrese a primer grado. ¿Los resultados? A pesar de que el primer niño resplandezca y eclipse al segundo durante casi todo el primer año, cuando ambos lleguen al tercer grado, nadie podrá determinar cuál de los dos tuvo la ventaja inicialmente.

El concepto de *disposición* es el punto de partida del problema. Si la disposición es definida en términos de que los niños de cuatro años de edad *pueden* aprender las bases de las matemáticas y a leer, la mayoría de éstos niños, está lista. Por otro lado, si la disposición es definida como el *tiempo más apropiado* para empezar a enseñarles lectura y matemáticas, entonces los niños de cuatro años, no están listos.

Las observaciones e investigaciones de "Desarrollo mental y psicológico Jean Piaget , (Suiza. 1890 — 1980) sugieren que el sistema de simbolos abstractos como los involucrados en la lectura y matemáticas no necesitan ni deben ser introducidos a los niños que estén por debajo de los seis años. Piaget sostiene que el desarrollo de la inteligencia se lleva a cabo a lo largo de la existencia del ser humano de acuerdo a una secuencia predecible de evolución.

Piaget dijo que cualquier intento de imponer la comprensión de algún concepto "Antes de tiempo" no sólo es inútil sino perjudicial en extremo. El sostenía que si dicho concepto era introducido a un niño antes de que "la ventana" del desarrollo mental apropiado fuera abierta, el niño nunca será apto de utilizar de manera efectiva ése concepto. Investigaciones posteriores argumentan que enseñar a leer a un niño de cuatro años de edad, causa daños permanentes en la naturaleza de la inteligencia.

Si el niño no será el beneficiario de la tendencia popular generalizada de empujarlo hacia la alfabetización preescolar, entonces, ¿por que empujarlo? Porque esto satisface las necesidades de algunos padres y algunos maestros, por eso.

De algún modo, a través de una combinación entre la falta de información y la falta de comprensión, muchos padres han decidido que desde el momento en que perciben alguna habilidad, lo más importante para el éxito, más que leér, es el que *lean a temprana edad, cuanto antes, mejor.* Pero los "lectores tempranos" sirven mejor a sus padres, que a sí mismos. Los "lectores tempranos" calman la ansiedad de sus padres en cosas tales como que son listos y que serán buenos estudiantes. Su alfabetización también sostiene a manera de testimonial sus habilidades y el buen juicio aplicado por sus padres para su educación. Así que la recompensa para los padres es doble: están menos preocupados y sus egos superdesarrollados. Una importante recompensa, en verdad.

Cuando a este tipo de padres se les presenta la "oportunidad" de encontrar una maestra que les ofrece enseñar a leér a sus hijos en edad preescolar, ésta se convierte automáticamente en el "suceso del siglo". Todos se apresuran para que sus hijos queden dentro de su grupo. De lo que muy pocos parecen darse cuenta es que enseñar a leer a un niño de cuatro años de edad es mil veces más fácil y requiere mucho menos tiempo y preparación, imaginación y energía de parte de la maestra que el planear y llevar acabo un programa de estimulación que daría por resultado más creatividad y actividades apropiadas para el desarrollo mental. Así que la recompensa para la maestra es también doble: Menos trabajo y el ego "inflado".

Tal parece que hemos olvidado que la educación es para beneficio del niño, no para beneficio de los adultos.

P.   *Soy una educadora y estoy en desacuerdo con usted en relación a lo que sostiene acerca de la instrucción para la lectura temprana. Varios estudios han demostrado que los niños preescolares tienen mucha más capacidad de aprendizaje que lo que se pensaba antes. Dándoles la oportunidad de educárción a los niños preescolares tales como lectura temprana, nosotros reconocemos y nutrimos su potencial.*

R.   Su argumento es el mismo que se ha utilizado para justificar este tipo de programas. Es decir: Si los niños en edad preescolar *pueden* aprender a leér, entonces *deben* aprender a leér. Esta posición está basada en una baja comprensión de la lectura, tan limitada como la definición de aprendizaje y logro.

Es cierto que un niño pequeño, de inteligencia normal, tiene la capacidad para reconocer ciertas palabras básicas. Pero usar esto para justificar que los maestros de preescolar enséñen a los niños a leér es como hacer uso del hecho de que un adolecente de trece años se le debe enseñar a manejar para darle la oportunidad de obtener su licencia de manejo.

De hecho, los niños de edad preescolar tienen una gran capacidad de aprendizaje. Así también los padres y maestros comparten la obligación de responder apropiadamente a este potencial. Y la pregunta salta al frente "¿Qué tipo de experiencias de aprendizaje son las apropiadas para los preescolares?"

Sabemos que la comprensión del mundo de un niño preescolar tiende a lo material. En otras palabras, el pequeño está en gran parte limitado al universo de las cosas concretas tangibles. Leér implica un sistema de símbolos abstractos (el mundo impreso) para describir los aspectos del universo tanto tangibles como intangibles.

Las investigaciones de Piaget indican que para la mayoría de los niños, el periodo crítico para introducir un sistema de símbolos de este tipo, es alrededor de los seis años.

Y ¿qué significa exactamente ser apto para la lectura? La alfabetización se define tradicionalmente en términos de la habilidad individual para reorganizar y comprender correctamente las palabras y el texto. Si nos unimos a ésta definición tan limitada, entonces, de hecho es posible introducir a los niños en edad preescolar a la lectura. Después de todo, lo que importa no es que léa una persona si va a abandonar la lectura por el hecho de no encontrar placer en ella. Cuando este tercer modelo es aplicado a la enseñanza de lectura en niños preescolares, se revela el completo fracaso de esta idea.

En "El niño precoz" (*"The Hurried Child"*), el autor y psicólogo David Elkind menciona estudios que demuestran que entre más temprano se le enseña a leér a un niño, disfruta menos la lectura y lee menos. Cada maestro de primer grado (de escuelas públicas) con quien he discutido éste asunto, me ha dicho que no es del todo necesario que el niño ingrese a primer grado con más bases que el conocimiento de alfabeto. Sólo esperan que sus pequeños estudiantes lleguen con el deseo de leér, lo cual deberá haber sido infundido y reforzado dentro del hogar.

El "truco" para ayudar a un niño para su alfabetización en todo el sentido que esto tiene, no es para nada, ningún truco. Verá: No hay mejor forma para preparar a un niño para la lectura que empezar a leérle desde los seis meses de edad, con regularidad y por periodos de treinta minutos al dia.

P.   *Desde que mi hijo tenía tres meses de edad lo ponía en el corralito, por periódos cortos de tiempo. Ahora tiene ocho meses y hasta hace poco, se entretenía solo, hasta que yo podía regresar. Ultimamente, tan pronto como lo pongo el el corralito empieza a gritar como poseído sin detenerse hasta que lo saco. No puedo estar con él cada minuto del día. Tampoco puedo dejarlo libre por la casa. El corralito parece ser el modo más conveniente para resolver esto. Pero por otro lado, él lo odia. ¿Qué puedo hacer?*

R.   Antes de ir más allá, comprenda que el corralito no es para jugar. No en el sentido real del término. El aburrimiento es la consecuencia lógica al encontrarse dentro de un área cercada de dos por dos. Entre más cosas metan los padres para que el niño se entretenga, más desordenado y confuso le resultará el corralito al niño además de restringirle la habilidad de interactuar creativamente con su medio ambiente y jugar.

Antes de empezar a gatear, la mayor parte de los niños, sufren el aislamiento del corralito por periodos breves durante el día. De cualquier forma, gatear estimula el deseo del niño de explorar el mundo. Una vez que el niño descubre la emoción de desplazarse de un lugar a otro, no encuentra ninguna gracia al hecho de que un pequeñito que ya hace sus pininos (entre los ocho y doce meses) no está muy seguro de qué tan cerca de su madre quiere estar. El hecho de "andar circulando" por casa es sumamente divertido, pero también lo aleja de la persona de quien más depende.

Así que los niños de esta edad se ven atrapados en su propio dilema. El quiere estar con usted y quiere alejarse de usted haciéndo sus propias cosas. Se siente mucho mejor si tiene el control de la distancia entre usted y él cuando la separación ocurre. Si usted se aleja, él aúlla, pero si gatea, es "adiós". Sólo para asegurarse de que usted no se ha evaporado mientras él no la ve, se encargará de checar que no sea así por intervalos de escasos minutos. Cuando usted lo coloca dentro de corralito, el nivel de su ansiedad se incrementa. No solo porque el nene no tiene el control de la separación, sino que tampoco puede llegar a usted cuando la necesita.

Me gustaría desviarme un momento y decir algunas cosas acerca de los "patitos". Después de unos dias de incubación, la camada de patitos se forma detrás de su mamá y la siguen a donde quiera que va. A ésto le llamamos "estamparse". Después de unas semanas de repetir esta conducta, empiezan (más o menos) a valerse por sí mismos.

Niko Tinbergen, biólogo europeo quería investigar qué sucedía si el proceso de "estamparse" se obstaculizaba. Colocó barreras pequeñas alrededor de la mamá pato en forma de carriles circulares. Conforme sus bebés la seguían, tenían que saltar las barreras para no perderla de vista. El resultado: estos patitos frustrados persistieron en seguir a su madre una y otra vez y ninguno de ellos se movió en otra dirección que no fuera hacia ella.

Antes de que un niño pueda dar señales de independencia debe saber, sin lugar a dudas que su mamá está "a la mano" (accesible) en el momento en que la necesite. Los corralitos frustran a los niños que están "estrenando" su movilidad, de la misma manera en que las barreras de Tinbergen frustraron a los patitos. Y de la misma forma en que reaccionaron los patitos ante la frustración, un niño frustrado estará más decidido a seguir a su madre y estar cerca de ella.

Usar el corralito para meter al niño (cualquiera que sea la razón) cuando éste ya ha empezado a desplazarse por sí mismo, incrementa la posibilidad de que el niño se aferre a usted durante un tiempo más largo que el de la mayoría de los niños, evitando que alcancen su autosuficiencia a la edad promedio.

Uno de los regalos más bonitos y adecuados que le puede dar a su hijo una vez que empiece a gatear es un área a "prueba de niños" donde pueda gatear libremente con la tranquilidad de que no le pasará nada. Cosas irrompibles que disfrute mientras usted se relaja, sabiéndo que él está bien. Su hijo experimentará la misma inseguridad que los demás "gateadores", pero en vez de permanecer en esta etapa, la atravesará.

P. *Nuestra hija de dieciséis meses empezó recientemente a escalar y a tocar cosas que consideramos que deben estar fuera de su alcance. Hemos tratado de evitarlo, dándole un ligero manazo cada vez que toma algo que nosotros no queremos que toque, pero eso no parece desviar sus intenciones y comúnmente la hace más decidida a hacerlo. ¿Qué nos sugiere para solucionar estas travesuras?*

R. El camino más efectivo para lograrlo es disminuir las probabilidades de que haga travesuras, con la fórmula "a prueba de niños". Una casa a prueba de niños protege al niño del peligro y evita los destrozos, al mismo tiempo en que proporciona al niño un medio ambiente abierto y lleno de estímulos en el que pueda explorar plenamente.

Haga un inventario, cuarto por cuarto, de las cosas peligrosas o de valor que estén al alcance de su hija. Coloque cerrojos "a prueba de niños" en los gabinetes de poca altura, asegure los contactos eléctricos, y ponga puertas en las escaleras, y cualquier otra cosa que la pueda fascinar. Si hace un buen trabajo, podrá dejar que su hija "circule" por toda la casa con mucha menos supervisión de la que ha tenido hasta ahora.

Cuando su hija tenga cerca de dos años y medio, puede empezar lentamente a reorganizar su casa y regresarla a su estado anterior. Regrése las cosas que considere de valor a su lugar pero una por una. Al principio deje que su hija vea y toque el objeto; después póngalo en el lugar que le corresponde y hágale saber que no se trata de una cosa para jugar. La discriminación entre "poder tocar" es fácil de lograr a esta edad, siempre y cuando los padres no introduzcan demasiadas cosas interesantes al mismo tiempo.

Un consejo para los padres de los niños que empiezan a hacer sus "pininos", es que cuando éste tome algún objeto de valor como sería una pieza de cristal cortado no pongan cara de horror, griten "Dame eso", ni corran con exceso de velocidad hacia el niño, con los brazos extendidos y las manos abiertas como garras. El pánico conduce al pánico. Con esta actitud, lo más seguro es que el niño tire la pieza y ésta se rompa. En vez de reaccionar de ésta forma, controle su miedo, acérquese tranquilamente, y agáchese para que sus ojos queden al nivel de los del niño; sonría, extienda su mano con la palma hacia arriba y diga "¡Huy!, qué bonito ¿lo pondrías en mi mano para que yo también lo pueda ver?"

Si usted resultó ser buen actor, el niño sonreirá y pondrá el objeto en la palma de su mano. Haga que su hijo perciba que esto no fue un truco. Ponga la pieza en su regazo y examínenla juntos por un minuto y antes de ponerse de pie dígale: "Voy a poner esto aquí para que los dos podamos verlo. ¿Verdad que es muy bonito?" Este procedimiento satisface la curiosidad del niño, le ahorra dinero y ayuda a construir una relación (entre usted y el niño) de cooperación en vez de una relación antagonista.

P. *Recientemente, nuestra hija de tres años inventó una compañera de juego, con la que pasa la mayor parte del tiempo y a la que llama "Cindy". Su obsesión con "Cindy" está llegando demasiado lejos. Quiere que ponga un lugar más en la mesa del comedor para "Cindy" y que la invite a ir con nosotros cuando salimos de casa. Cuando he sugerido que "Cindy" no existe, mi hija se enfurece y se molesta. ¿Tengo razón para estar preocupada, o es solamente una conducta pasajera?*

R. La fascinación de su hija por su amiga imaginaria es solamente una conducta pasajera, pero de mucha importancia. En vez de estar preocupada, debería estar contenta.

El pensamiento fantástico surge alrededor de los tres años. Como cualquier otro atributo mental, la imaginación debe ejercitarse con el fin de fortalecerla y desarrollarla. Cindy es la manera que tiene su hija para hacerlo. Está dando un paso importante hacia el eventual dominio del pensamiento abstracto. Y sobre la base de que la imaginación activa es esencial para la lectura de comprensión, Cindy está ayudando a su hija a convertirse eventualmente en una lectora de éxito.

Tratar de discutir la existencia de Cindy con su hija es una causa perdida. Para una criatura de tres años, si algo puede ser imaginado, entonces ese algo realmente existe. A los ojos y mente de su hija. Cindy es real como lo es usted. Los niños de tres años se sienten seguros con sus amigos imaginarios. Los necesitan. No se sorprenda por que su hija se moleste cuando usted intenta negar la existencia de Cindy. Así como su mente adulta no puede comprender la obsesión de su hija por Cindy, su mente de niña no puede entender que usted no acepte la existencia de Cindy. Así que deje de preocuparse.

Su hija está en una etapa en la que empieza a establecer relaciones con otros niños. Cindy la capacita para practicar sus habilidades sociales dentro de un contexto de seguridad, no amenazante: de este modo, su hija obtiene la habilidad de interactuar exitosamente con otros niños. Cuando su hija juega con otra niña y con Cindy, practican sus habilidades sociales para grupos pequeños.

Entre más juegue su hija con Cindy, le exigirá menos tiempo y energía a usted. En vez de que su hija desee que usted la entretenga, cuenta con Cindy, lo que a final de cuentas significica que se entretiene por sí misma. Entre mayor sea la confianza en sí misma, su hija estará más plena de recursos, y tendrá un mejor sentido de autoestima.

Del modo en que lo vea, Cindy es probablemente una de las mejores cosas que le han pasado a su hija. Su amiga invisible está contribuyéndo a casi cada aspecto de su crecimiento y desarrollo. En vez de preocuparse por Cindy, relájese y cuente sus bendiciones.

Capítulo Seis

TELEVISION Y NIÑOS: MÁS IMPORTANTE DE LO QUE PARECE

Entre los dos y seis años, los niños de edad preescolar, ven un promedio de treinta horas de televisión a la semana. Esto no es un dato que haya sacado "de la manga", sino que ha sido confirmado por las encuestas realizadas desde 1970.

Treinta horas a la semana es poco más de cuatro horas al dia, las cuales pueden ser de la siguiente forma: Media hora de caricaturas antes de ir a la escuela, una hora de "Plaza Sésamo" al medio día, otra media hora de caricaturas en la tarde, seguida por dos o tres programas como Los Muppets; nada fuera de lo ordinario.

Pero multiplique treinta horas de televisión a la semana por cincuenta y dos semanas, y descubra que en promedio los niños preescolares ven mil quinientas sesenta horas de televisión al año, con un total alarmante de seis mil doscientas cuarenta horas entre los dos y seis años. Basándonos en horas de vigilia podemos concluir que los preescolares pasan aproximadamente una tercera parte de su tiempo libre sentados en frente del aparato de televisión.

Ahora mismo usted estará lista para decir: "¡No son así las cosas con mi hijo!, mi hijo no ve la televisión más de quince horas a la semana". Esta es una reacción perfectamente comprensible, pero quisiera que aclarásemos puntos: Los estudios también demuestran que los padres tienden a subestimar el tiempo que sus hijos ven la television, en aproximadamente el cincuenta por ciento. Así que si usted piensa que su hijo ve quince horas la televisión a la semana, lo más probable es que sean muchas más horas de las que piensa (tal vez aún más alto que el promedio de treinta). Por otro lado, si usted insiste, que su niño en edad preescolar ve la televisión por un promedio de "sólo" quince horas a la semana, para cuando tenga seis años habra visto tres mil ciento veinte horas de televisión. ¿Verdad que es inquietante?

Hay que tener presente el significado de estos números, así como que la etapa de preescolar de su hijo, en particular ésos cuatro años, de los dos a los seis años, son definitivamente los más importantes de su vida. Los educadores así como los psicólogos especialistas en el desarrollo mental se refieren a éstos cuatro años como "los años formativos". Se llaman "formativos" porque es el periodo en el que el niño se desarrolla, descubriéndo y fortaleciéndo sus habilidades, mismas que necesitará para convertirse en una persona creativa y competente.

"COMO NO EDUCAR A UN NIÑO GENIO"

La mayoría de los seres humanos nacen "programados" con "sobrehabilidades" ya sea en una área o en otra: intelectual, artística, musical, atlética, interpersonal, espiritual, etcétera. Durante los años formativos, estas áreas son activadas mediante la exposición del niño dentro de ambientes y experiencias, mismas que "apretarán el botón genético adecuado".

En otras palabras, si al niño se le da la libertad y suficientes oportunidades para explorar, descubrir, y para el juego imaginativo, se liberan las posibilidades de su desarrollo mental brillante. Los ambientes y experiencias que estimulan y ejercitan las habilidades de los niños pequeños son, de hecho, compatibles con sus necesidades de desarrollo mental. De otro modo, todo medio ambiente que falle en estas oportunidades tan importantes será incompatible. Y el tiempo es la esencia. Las investigaciones acerca del desarrollo mental han demostrado consistentemente que un niño toma aproximadamente seis años para "establecer contacto" con muchas de las habilidades que comprenden competencia y creatividad. Los años formativos son la "ventana de las oportunidades" para los niños de "dones". Un niño de seis años al cual le han faltado estos tipos de oportunidades, es deficiente respecto a uno o más aspectos de "dones" y probablemente siempre tendrá problemas en estas áreas.

Cuando un niño se sienta frente a la pantalla, la televisión se convierte en su medio ambiente audio-visual. Partiendo de la base de que un niño pasa más tiempo viéndo televisión que cualquier otra cosa, durante sus años formativos, debemos concluir que la televisión se ha convertido en el medio ambiente primario para nuestros niños, y de hecho, influye en el desarrollo de éstos en el sentido de hacer más largo y difícil su camino dentro del desarrollo.

Entonces, la pregunta es; "¿La televisión produce un medio sano o dañino para los niños?"

Durante los últimos treinta años o más, los científicos sociales han estado tratando de contestar esta misma pregunta. Sus investigaciones se han centrado casi exclusivamente en los efectos del contenido de la televisión — ya sea un programa violento o no, *sexy* o no — sobre el comportamiento social de los niños. Esto ha traído consecuencias desafortunadas, porque el promedio de los padres han cometido el error de pensar que la televisión es dañina para los niños en función directa al tema del programa. Si un niño ve "Plaza Sésamo" o cualquier programa "para niños", tiende a pensar que no hay daño posible. Por otro lado, si el niño está viendo un programa violento o de contenido sexual, probablemente corramos a cambiar el canal, apagar la televisión, o a sacar al niño del cuarto. Debido a ésta tendencia de juzgar "El libro (de la televisión) por la portada" los padres están en un gran error al no darse cuenta de que es peor y más dañina la influencia de la televisión vista como un "proceso", independientemente del contenido de los programas que vé el niño.

Para comprender mejor de lo que estoy hablando, la próxima vez que su hijo esté frente al televisor, véalo a él en vez de al programa. Como dice el dicho, vale más una imagen que mil palabras. Vea la próxima ilustración.

¿No es un cuadro divino? Ahora, pregúntese: "¿Qué está haciéndo mi hijo?", La respuesta por supuesto es "NADA". No está ejercitando ninguna habilidad ni don.

Sin considerar el tipo de programa, *ver la televisión inhabilita el desarrollo de la iniciativa, curiosidad, adquisición de recursos, creatividad, motivación, imaginación, el razonamiento y las habilidades para resolver problemas, comunicación, habilidades sociales, coordinación psicomotriz (fina y gruesa) y la coordinación de manos-ojos.* ¿Debo continuar? Debido a que los niños "clavan" la vista en el televisor, en vez de examinar, se evita que las habilidades visuales de localización se fortalezcan.

Es más, ver la televisión interfiere significativamente con el desarrollo de los periodos largos de atención. Mucha gente crée equivocadamente que si un niño puede permanecer sentado frente al televisor en estado de hipnosis durante dos o tres horas mínimo, debe tener — o al menos estar desarrollando — periodos largos de atención. Esto es una "ilusión optica": La imagen en la televisión cambia en un promedio de cada tres o cuatro segundos. Debido a este cambio perceptual constante, o parpadeo de la televisión, el niño no está sosteniéndo su atención por más que unos cuantos segundos. Como resultado, ver la televisión es una situación paradójica para los pequeños. *Entre más tiempo pasen frente a la televisión, más cortos se vuelven sus lapsos de atención.*

Por último, sin ser menos importante, la acción de los cambios caprichosos y constantes de la televisión hacia atrás, adelante, a un lado, al otro, en tiempo (sin mencionar los cambios de un tema a otro), impiden el desarrollo del pensamiento lógico y secuencial, mismo que es básico para la comprensión de causa y efecto en las relaciones sociales. Esto provoca dificul-

tades tanto en la anticipación de consecuencias como en el se-
guimiento de instrucciones.

Una vez más, estas fallas son las mismas, ya sea que el niño
vea "Plaza Sésamo", una película para adultos, un video rentado
o cualquier programa. En cada caso, el niño permanece en la
misma actitud pasiva. Esto significa que para los niños preescolares, el contenido del programa es una cuestión totalmente
irrelevante en lo que se refiere a su desarrollo mental.

*Como dije antes, las habilidades de los niños preescolares sur-
gen e inician su desarrollo por medio de ejercitarla. Durante los
años formativos, el juego es la forma natural de hacerlo. Pero
un niño que está frente al televisor, no está jugando.* De hecho,
no está haciendo nada que le beneficie. Es más, *cada hora que
el preescolar pasa viéndo la televisión es una hora en que se desperdicia el potencial de ése niño.*

Haciendo un análisis desde el punto de vista del desarrollo
mental, se ve uno forzado a concluir que ver la televisión es una
experiencia inhabilitante para los niños pequeños: Los priva
de las oportunidades para saborear y descubrir el desarrollo de
su potencial natural, sus capacidades y dones. Y lo más triste es
que una vez que la "ventana de las oportunidades" se cierra,
nunca más se abrirá por completo.

Pero, no tome mis palabras "al pie de la letra". Como con
cualquier otra cosa, los resultados se ven "hasta que se prueba el
pastel". Lo que quiero decir es que si un niño pasa lapsos de
tiempo significativo "estacionado" frente al televisor durante
sus años formativos, es probable que sea mucho menos competente que si no lo hubiera hecho. Si ver la televisión disminuye
el potencial de competencia en un niño, entonces es evidente
que la generación de "los niños de. televisión" son menos competentes que los niños de generaciones pasadas.

TELEVISION — INCAPACIDAD.

Desde 1955, cuando los niños empezaron a ver televisión durante lapsos significativos de tiempo, las puntuaciones de las pruebas de "logos escolares" han disminuído progresivamente, al igual que el nivel de lectura. Hoy en día, cerca de uno de cada cinco jovenes de diecisiete años es funcionalmente iletrado, lo que significa que no puede leer y comprender al mismo nivel que se requiere en quinto año. El individuo iletrado no puede leer cabalmente un periódico, una receta o un manual para herramientas. Estos dos puntos son más bajos que en 1955. Actualmente un lector de quinto grado, es comparable con uno de tercero del año de 1955.

Desde 1955, las deficiencias en el aprendizaje cási se han convertido en una epidemia dentro de las escuelas tanto públicas como privadas. Los niños con problemas de aprendizaje, no logran integrar las habilidades académicas básicas de ia lectura y la escritura. Algunos investigadores encontraron que actualmente por lo menos tres de cada diez niños presentan problemas de aprendizaje, en un grado u otro. Los síntomas que caracterizan a la población de niños con problemas de aprendizaje y la lista de los niños con deficiencias en el desarrollo mental asociadas con el hecho de ver la televisión son una y la misma. Datos por demás interesantes.

Los niños con problemas de aprendizaje tienen problemas de exploración visual. Sus ojos no pueden explorar fácilmente una línea impresa de izquieda a derecha. Tienden a presentar problemas en la coordinación ojos-manos así como en las habilidades motoras tanto fina como gruesa. No tienen experiencia suficiente requerida para la tarea de resolver problemas de manera activa (por ejemplo,leer). Es frecuente que tengan conflictos con respecto a las habilidades para la comunicación y para escuchar activamente. Comúnmente presentan dificultades de ajuste social. Sus maestros reportan que estos niños tienen que esforzarse especialmente para seguir una secuencia de instrucciones o pasos para la resolución de un problema. Los maestros los describen como niños pasivos y fáciles de frustrar por los cambios. Tienden a ser poco imaginativos (y la imaginación es esencial para la lectura de comprensión). Por último, sin ser menos importante, casi todos los niños con problemas de aprendizaje tienen periodos cortos de atención.

En resumen, existe una línea paralela cási perfecta entre la habilidad de competir siendo la televisión el obstáculo para el ejercicio de ésta, y los síntomas característicos de una población de niños con deficiencias de aprendizaje. Pero las deficiencias de aprendizaje son solamente la punta del *iceberg*.

He hablado una y otra vez, con maestros veteranos — aquellos que están en la mejor posición para haber sido testigos del derrumbe de las habilidades de competencia — y lo que me dijeron fué que los niños de hoy (como regla) tienen menos recursos, son menos imaginativos y ni cercanamente tan motivados como los niños que conocieron y enseñaron en la época anterior a la televisión. También me dijeron que el promedio del lapso de atención parece habérse acortado significativamente desde cerca de 1950.

Conozco a una mujer que dio clases en segundo grado, en escuelas públicas durante cuarenta y cuatro años (de 1934 hasta 1978). En sus primeros años, cuando sus estudiantes regresaban del recreo, les leía historias de libros que tenían pocas ilustraciones o ninguna. Entre los años cuarentas e inicios de los cincuentas, su clase de lectura de cuentos duraba una hora. A finales de los cincuentas, empezó a notar que la mayor parte de sus niños ya no eran capaces de permanecer sentados y prestar atención por ese periodo de tiempo. Así que, alrededor de los años sesentas, redujo su hora de lectura de cuentos a treinta minutos. A mediados de los años sesenta, nuevamente recortó el tiempo de las lecturas quedando tan sólo quince minutos a pesar de que utilizaba libros con ilustraciones en cada página. En 1972, debido a que sus estudiantes eran incapaces de sentarse y poner atención por no más de tres o cuatro minutos decidió suspender por completo "la hora de la lectura de cuentos".

He oído historias similares de casi todos los maestros veteranos con quienes he hablado. Y no me sorprende. *Tome usted a un niño cuyos años formativos hayan sido dominados por la televisión (un niño cuyas habilidades de competencia están debilitadas porque la televisión ha obstruído casi cada uno de los aspectos de su potencial innato)* pónga a éste niño dentro de un salón de clases en el que las expectativas de aprendizaje requieran de su iniciativa, recursos, curiosidad, motivación, imaginación, cordinación de ojos y manos, habilidad adecuada de comunicación, escuchar activamente, razonamiento funcional, habilidad para la solucion de problemas y periodos largos de atención, y *existe una gran posibilidad de que éste niño tendrá problemas para aprender y actuar dentro de la escuela.*

Sería exagerado afirmar que la televisión es responsable por sí sola de la plaga de los problemas de aprendizaje y motivación en las escuelas. Pero seríamos muy inocentes al ignorar la conexión entre las deficiencias inherentes al proceso de ver televisión y las deficiencias en las habilidades competitivas que caracterizan no sólo al niño con problemas de aprendizaje sino también a toda la generación de niños con sobredosis de televisión. No olvide que ninguna influencia ha alterado de manera tan dramática la naturaleza de la infancia en los últimos cuarenta años como al aparato de televisión.

PREGUNTAS Y RESPUESTAS

P.   *¿Qué lineamientos generales le recomendaría usted a los padres para decidir cuánta televisión pueden ver sus hijos?*

R.   Primero que nada, no creo que exista ninguna justificación para dejar a un niño en edad preescolar, ver la televisión ni un instante. Creo que lo mejor es mantener al niño alejado de la televisión por completo, hasta que haya aprendido a leer más o menos bien y que disfrute de la lectura. La mayoría de los niños lo logran entre el tercer y quinto grado. Una vez que la lectura ha sido más o menos bien establecida, no veo ningún problema en permitir que un niño vea programas que representen al mundo de una manera realista para que éstos amplíen la comprensión del mundo y cómo funciona. Programas especiales sobre La Naturaleza, documentales, películas históricas, deportes y eventos culturales (todos éstos encajan dentro del mismo criterio ralista). Todos los programas que como éstos amplíen la visión del niño acerca del mundo y le estimule para desear ir a la biblioteca e investigar más acerca de lo que vieron, ya sean ballenas, béisbol o la Guerra Civil. De cualquier modo y sin importar el tipo de programas, recomiendo ampliamente a los padres que no permitan que sus niños vean la televisión por más de cinco horas a la semana.

P.   *¿Qué piensa acerca de los programas como "Plaza Sésamo"?*

R.   Todos los programas de televisión, sin considerar su contenido, son vistos de la misma manera pasiva. Desde este punto de vista, "Plaza Sésamo", es más que nada, una calle de un solo sentido como cualquier otro programa, llámese como se llame.

Los programas como "Plaza Sésamo" convencen a los padres

porque éstos suponen que contiene un valor educacional para los niños. Pero la idea de que los niños preescolares puedan aprender el alfabeto, los números y hasta el vocabulario para las bases de la lectura por medio de "Plaza Sésamo", no es más que un argumento, defendido ante usted por las mismas personas que le dicen que tal o cual pasta de dientes lo hará más atractivo ante las personas del sexo opuesto.

Primero: no es ninguna ciencia el enseñar esas bases a los niños. *Segundo:* los niños no necesitan saberlas antes de entrar a la escuela. *Tercero,* un salón de clases proporciona un ambiente mucho más apropiado y efectivo para el aprendizaje de las habilidades básicas.

Las investigaciones han fracasado constantemente al tratar de demostrar que "Plaza Sésamo" proporciona a los jóvenes consumidores" algúna ventaja académica. De hecho, una investigación dirigida en 1975 por la Fundación Russell Sage, concluyó que el auditorio asiduo a "Plaza Sésamo" demostró menos adelantos que los que veían "Plaza Sésamo" ocasionalmente.

Cuando éste asunto surge durante algúna de mis conferencias o en la etapa de preguntas y respuestas al final de una presentación, le pido a las personas del Auditorio que levanten la mano aquellos que aprendieron a leer poco después de haber entrado a la escuela. Todos levantan la mano. Entonces pido que levanten su mano aquellos que durante sus años preescolares vieron "Plaza Sésamo". No se levanta ninguna mano, pero todos empiezan a reír. En otras palabras, "Plaza Sésamo" no es un requisito necesario para aprender a leer.

P. *La televisión no parece estar haciendo nada maravilloso por mis dos hijos pequeños, pero definitivamente es una ayuda para mí porque durante el día puedo disponer de algo de tiempo para mí misma. Aún no comprendo cómo el ver la televi-*

sión durante unas cuantas horas al día con programas tales co-
mo "Plaza Sésamo" puede dañarse la mente de un niño. ¿Algu-
na vez ha tratado de mantener ocupado a un niño durante todo
el día, todos los días?

R.   Lamento decirle que es un error pensar que la televisión
le está haciendo un favor a usted o a sus hijos. Entre más pequeño comienza el niño a ver la televisión, más dependerá de
ella como un recurso primario de entretenimiento y ocupación.
Todo dependiente de la televisión, se siente desesperado cuando
está apagada porque necesita satisfacer esa dependencia de otra
forma. Es predecible que el nene transfiera su angustia al objeto y/o persona que tenga más a la mano, y por lo general,
"Mami", es la primera de la lista.

Es así como se desarrolla rápidamente un círculo vicioso.
Entre más televisión vea un niño, más afectados serán sus recursos, iniciativa, imaginación, y creatividad. Cuando la televisión
se apaga, en vez de encontrar algo en que entretenerse solo,
busca a mamá para que ésta se encargue de lo que "suspendió"
la televisión. El niño se queja de estar aburrido, lloriquéa para
que mamá le encuentre algo en que entretenerse y le pide que
juegue con él. Debido al temor de que el niño se sienta rechazado ante una negativa, al principio, mamá se muestra cooperativa ante las quejas y exigencias. Pero cuando se torna obvio
que toda la atención de mamá no es suficiente para el niño,
mamá empieza a buscar una excusa para dejarlo ver la televisión.
Cualquier programa para el caso, es bueno pero "Plaza Sésamo"
es uno de "los mejores".

Ahí lo tiene: Creciéntemente, el niño se convierte en adicto a la
televisión y su madre creciéntemente adicta a permitir que la
vea. Mientras mamá sostenga ésta estrategia se va perdiéndo lo
único que le proporcionaría a ella y a su hijo la independencia

que necesitan tener el uno del otro: La habilidad del niño para entretenerse y crear por sí mismos.

¿Qué decir de los niños de antes de que existiera la tevisión? Si el clima lo permitía, jugaban afuera. Hacían pasteles de lodo, construían fuertes con unas cuantas varitas, aventaban piedras en un charco haciendo "patitos" y jugaban con fantasías pretendiendo ser toda clase de heroes, heroínas y damiselas en desgracia, siendo rara la ocasión, si se presentaba, en que se quejaran por no tener nada que hacer. ¿Recuerda? Son los niños de la generación de la televisión los que se quejan por no tener nade que hacer. ¿Cuándo vamos a despertar para darnos cuenta de que esto no es una coincidencia?

P.   *Nuestra bebé de cinco meses de edad, adora ver la televisión. A medio día, mientras veo mis programas, ella se recuesta en su colcha y clava la vista en la pantalla. Creo que le gusta la serie de movimientos, la brillantez y los colores en la pantalla, pero el hecho de que su fascinación por la tele se convierta en un hábito me empieza a preocupar. Sé que ver mucha televisión es nocivo para el niño, que puede dañar el poder de su imaginación y creatividad, sin mencionar sus habilidades para la lectura. ¿Puede convertirse en hábito su interés por la televisión? ¿Debo dejar de ver la televisión para beneficio de ella? Si alguna vez es conveniente, ¿cuándo debo permitirle que empiece a ver la televisión?*

R.   Como respuesta para su primer pregunta: La televisión, definitivamente crea hábito. Entre más temprano se fórme un hábito, tendrá más influencia en las actitudes y comportamiento del individuo. Por lo tanto, el hecho de permitir que su pequeña hija se "instale" frente a la pantalla de la televisión por periodos de tiempo significativos, usted incrementa su futura adicción.

El movimiento, la brillantez y los colores forman parte de la fascinación de su hija por ver la televisión, pero el elemento clave de su fijación creciente —y eventualmente posible adicción— es el cambio constante de perspectiva e imagen. Usted podrá notar que la imagen de la pantalla cambia o parpadea por intervalos de unos pocos segundos.

La intención de éste parpadeo es mantener la atención del auditorio. Esto "engancha" la atención de los televidentes y los atrapa como un abrazo hipnótico. El parpadeo constante de la pantalla estimula placentera y positivamente, "recompensando" al televidente. Cuando decimos que una persona está "pegada al tubo" no estamos lejos de la realidad.

En el lenguaje de la psicología la televisión coloca al televidente en un "Plan de intervalos variables" de reforzamiento. Variable, porque los intervalos entre un parpadeo y otro no son constantes, de reforzamiento porque cada parpadeo es un estímulo placentero. Ahora escuche éste párrafo de un texto contemporáneo de psicología: "Las investigaciones indican que el aprendizaje bajo condiciones variables de recompensa, es más duradero que bajo cualquier otro plan de recompensa". En otras palabras las recompensas variables dan como resultado la formación de hábitos persistentes y posibilidades de por vida.

Así que ¿Su hija está en peligro de convertirse en adicta a la televisión? "Definitivamente".

¿Cuándo está bien permitir a un niño que empiece a ver televisión? Personalmente no creo que un niño deba ver la televisión en lo más minimo, hasta que sepa leér bien. Después ya no existe daño real que un niño vea televisión cinco horas a la semana, de preferencia programas que amplíen su comprensión del mundo real.

P.   *Mi esposo y yo estabamos viendo a un psicólogo por problemas de disciplina de nuestro hijo de seis años. Charly también tuvo problemas en la escuela este año tanto para concentrarse en clases como para terminar sus trabajos. El psicólogo,
nos dijo recientemente que el problema escolar de Charly es un
desajuste de déficit de la atención lo que aclaró es el término actual para "hiperactivo". Dijo que los periodos de atención de
Charly son cortos y que son los causantes de la mayor parte de
sus problemas escolares así como de muchos de los que tenemos
en casa. Estamos de acuerdo en que Charly es impulsivo y muy
difícil de controlar, pero lo que no está muy claro es eso de los
periodos de atención. Si como dijo el psicólogo, Charly no puede controlar su problema de periodos de atención: ¿entonces
por qué puede permanecer sentado frente a la televisión por dos
o tres horas cuando menos? De hecho, la televisión es justamente la única cosa que lo "mantiene" tranquilo. El psicólogo
no tiene ninguna explicación para esto. ¿Usted sí?*

R.   El hecho de que Charly sea capáz de ver la televisión por
dos o tres horas, no contradice el diagnóstico de "desorden y
déficit de atención". La televisión mantiene el interés de Charly
de un modo en que no lo hace el mundo cotidiano, porque las
imágenes de la pantalla cambian constantemente.

No sólo el parpadeo de la televisión es altamente estimulante,
sino también tiene un efecto magnetizante o hipnótico sobre el
auditorio. Este es el gancho de la televisión, causado por el uso
de tres o cuatro cámaras dentro del estudio de producción. Tal
parece que algunas personas son más resistentes que otras a éste
cebo, pero los niños son especialmente suceptibles. Aún más,
los cambios constantes de perspectiva en la televisión, se adecúa
perfectamente para los desórdenes y déficit de atención del niño. A pesar de que usted considere que la televisión mantiene
tranquilo a Charly, ésta no está haciendo más que empeorar sus

problemas de periodos cortos de atención. El puede estar frente al televisor durante tres horas sin tener que ver nada por más
de diez segundos aunque generalmente son cuatro segundos. En
otras palabras, actualmente la televisión está reforzando los periodos cortos de atención de Charly. Entre más la véa, es más
probable que sus periodos cortos de atención se conviertan en
un hábito.

¿En qué otro lugar, dentro del mundo real cambia la escena
frente a usted con espacios de pocos segundos? En ninguno.
Así que los hábitos de percepción que desarrolla Charly mientras está frente al televisor empeorarán, incluso serán dañinos y
lo perjudicarán en otros medios, especialmente en la escuela.

A lo largo de mi existencia, he visto que el plan de tratamien-
to más efectivo para los casos ya sean moderados o severos de
problemas y déficit de la atención, es la combinación del trata-
miento del comportamiento junto con medicación para tratar el
control del impulso así como el desarrollo de periodos largos de
atención. En suma, siempre recomiendo que a éstos niños no
se les permita ver la televisión por más de tres horas a la semana.
De preferencia programas como documentales acerca de La Naturaleza, en donde, el contenido sea el gancho, más que la técnica de producción.

P.   *Nuestro hijo de ocho años tiene problemas de aprendizaje ya que se le dificulta poner atención, seguir instrucciones, y
descifrar las palabras escritas. Actualmente, tiene retraso de
más de un año, en cuanto a lectura. Reciéntemente vi un programa de debate en el que un especialista en problemas de
aprendizaje dijo que la mayoría, aunque no todos, de los problemas de aprendizaje son hereditarios. ¿Hay alguna forma para
comprobar con certeza si los problemas de Billy son heredados?*

R.   *El hecho de los problemas de aprendizaje es que los hay de muchos tipos y nadie sabe con certeza cuáles son las causas.* Algunos hereditarios, o por lo menos relacionados de algún modo con factires magnéticos. Aun cuando existiéra algúna manera para determinarlo no creo que "genes malos" sean la causa principal sino de una pequeña minoría.

Desde principios de los años cincuenta, los problemas de aprendizaje se convirtieron en una epidemia entre los niños en edad escolar. Muchos aseguran que este agudo incremento se debió al mejoramiento de los procesos para su identificación. Este argumento no tiene ningún sentido. Un procedimiento "avanzado" no causa epidemias: sino que son el resultado de éstas. Creo que tuvimos que hacer un mayor esfuerzo dentro de la investigación e identificación DEBIDO a ese incremento.

Es interesante hacer notar que los problemas de aprendizaje no son problema para la población europea en edad escolar, a diferencia de la población de América. Desde el punto y hora en que compartimos la misma "Alberca genética", la explicación genética perdió su fuerza y surgió la idea de que la razón de esta epidemia es definitiva, el medio ambiente mental.

Entonces, surge la pregunta; ¿Cuál es la diferencia significativa entre la educación de los niños Europeos y la de los niños Americanos?

Existen muchas, pero una de las más significativas está relacionada con la televisión. Para ampliar ésto quiero decir que los niños Europeos ven menos de cinco horas por semana de televisión, y los niños Americanos la ven entre veinticinco y treinta horas. Ver la televisión durante muchas horas, ¿puede causar problemas de aprendizaje? *La teoria del Desarrollo Mental, sugiere que Si.*

El código genético humano contiene un vasto aparato de habilidades y talentos. Para estos "programas" el niño preescolar debe ser expuesto a experiencias y determinado medio ambiente, para promover el ejercicio de dichos talentos. En otras palabras, mientras más creativas sean las actividades del preescolar, durante sus años formativos, eventualmente será más talentoso.

Ver televisión es "pasividad" no "actividad". Esto no compromete "apropiadamente" el potencial humano (ya sea motriz, intelectual, creativo, social, sensorial, verbal, o emocional). De hecho, por su naturaleza e independientemente del programa, *la T. V. es una experiencia deprivacional para el niño preescolar.*

Leér no es una habilidad: es una colección de habilidades. En el sentido de aprender a leer bien, un niño debe emprender la labor con la colección completa. Si las piezas del rompecabezas están incompletas o dañadas, aprender a leér será mucho más frustrante para el niño.

Recuerde que el promedio de los niños habrá visto seis mil horas ó más, de T.V., antes de entrar a primer grado. ¡Piense en esto! *¿Realmente podemos esperar que el rompecabezas resista tal cantidad de deprivación contra el desarrollo mental y sobrevivir intacto?* Y no olvidemos que los niños con problemas de aprendizaje son sólo la punta del iceberg. Desde principios de los años cincuentas, el nivel escolar se ha adormecido progresivamente y la alfabetización por encima de los diecisiete años de edad ascendió a un veinte por ciento.

¿Podría ser que nuestro romance con la T.V. esté escondido tras ésta crisis de lectura? Nunca lo sabremos con certeza. La pregunta es. . . ¿vale la pena el riesgo?

P.   *¿Es verdad eso de que ver programas violentos en T.V. puede hacer violento a un niño?*

R.   A mediados de los sesentas, un número creciente de personas centraron su atención, por la tendencia de la T.V. hacia programas de asesinatos y descuartizados. La pregunta surgió: "¿Qué efectos adversos puede causar una dosis diaria de violencia (por T.V.) en la mente de los niños?"

El reporte de Televisión y Comportamiento Social publicado en 1972, aseguró que es posible y común actuar bajo la suges-tión, inherente a los temas de muchos de los programas de T.V., *en los que la violencia es una forma aceptable para el manejo de un conflicto o problemas.* La idea de que la violencia televisiva puede estimular la violencia "en el campo de juego", ha sido ampliamente aceptada desde entonces.

Pero lo que puede vincular para siempre a la violencia televi-siva con el comportamiento agresivo de los niños, aún tiene que ser descubierto. La teoría de que "violencia genera violencia" en relación a la T.V., sólo es una teoria.

No importa. Después de todo, el público ha encontrado un "chivo expiatorio" para afrontar la creciente agresión.

Existe una razón definitiva para sospechar que existe un vín-culo entre la televisión y el comportamiento agresivo entre los niños. Desde principios de los años cincuentas, cuando la T.V., entró a nuestros hogares, el número de crímenes violentos, atri-buidos a jóvenes, se incrementó más de diez veces. Dentro de ese mismo periodo, en las ciudades grandes, las escuelas públicas se convirtieron en un campo de batalla, donde los estudiantes peleaban no sólo entre ellos, sino también con sus profesores. Aún sin una respuesta final para el establecimiento científico de esto, lo evidente de estos hechos, *sugiere fuertemente que la "generación televisiva" es también, una generación más violenta.*

Los esfuerzos para probar o descartar la teoía de que "violencia genera violencia", están mal enfocados. La relación entre la T.V. y el comportamiento agresivo de los niños debe tener más relación con el proceso que con el contenido — más que ver con el "ver" que con lo que "se está viendo".

Harry Harlow especialista en el comportamiento animal de la Universidad de Wisconsin, aisló a chimpancés jóvenes dentro de un medio ambiente donde no había oportunidades para jugar. Observó que el comportamiento agresivo era insólito en estos chimpancés en comparación con otros que no habían sido aislados.

El psicólogo Jerome Singer de la Universidad de Yale, encontró evidencias de que los niños que frecuentemente se involucraban dentro de juegos fantasiosos son menos afectos a la agresión y hostilidad, así como más capaces para tolerar la frustración que los niños que, por cualquier razón, no se involucran en juegos fantasiosos.

El autor del libro "La magia del niño" Joseph Chilton Pearce, escribió que el juego es la actividad más importante de la infancia. Es a través del juego imaginativo y activo que el niño desarrolla la "Competencia creativa" o el dominio de su medio ambiente.

En su libro más reciente, "La Unión Del Poder", Pearce afirma que aquellos niños a los que no se les permiten grandes periodos de tiempo o que sus juegos son restringidos a las formas prescritas por los adultos, es decir, juguetes comprados en tiendas, o actividades supervisadas por adultos, *desarrollan en el niño sentimientos de aislamiento y llegan a percibir el mundo como una amenaza en vez de como un reto.* La ansiedad les incita a: *Que se aíslen o que traten de controlar al mundo por la fuerza.* Sobre este punto, es interesante hacer notar que la incidencia de depresión, observada largamente por los psiquiatras y psicólogos *como violencia "llevada hacia el interior",* se *está incrementando en los niños de hoy.*

El promedio de los niños que se sientan y permanecen frente a la T. V. durante treinta horas a la semana, no están JUGANDO en ninguno de los sentidos que tiene el término jugar. El nene no está haciendo nada más que ver, lo que difícilmente se puede considerar como "estar haciendo algo". Si el juego, especialmente el fantasioso, es tan esencial para la formación de una personalidad sana como Harlow, Singer, y Pearce piensan entonces *la T.V. es fundamentalmente nociva para los niños, sin considerar el tipo de programa que se vea.*

Es definitivamente inquietante la posibilidad de que la T.V., pueda aislar a un niño del mundo, cuando aparentemente es lo contrario, *pero la cólera y el retraimiento resultan ser sus únicas opciones.*

P.   *Los dirigentes de la educación acaban de aprobar la instalación de computadoras en las escuelas. Quedan varias preguntas pendientes, una de las cuales es; ¿cómo pueden ayudar las computadoras y capacitar a los niños en cualquier nivel de su educación? Como usted se imaginará, no hay consenso en éste aspecto. Los "progresistas", están a favor de las computadoras para cualquier grado escolar; los "puristas" detienden la educación tradicional, durante los años formativos. Nos gustaría saber con cuál de estas dos opiniones está usted de acuerdo.*

R.   Me inclino ligeramente hacia los "puristas" y considerablemente hacia los "progresistas". La asistencia de la computación para la educación en los niños durante los grados elementales (K — 3), no es sensiblemente necesaria ó práctica.

Como cualquier otra, la habilidad mental se desarrolla de acuerdo a una secuencia de maduración inmutable. Cada etapa del crecimiento se desarrolla sobre las anteriores y forma el sistema para las siguientes. Más aún: cada etapa es compatible y nutrida por ciertas formas de aprendizaje. Se puede causar daño por dos razones, el fracaso provocado por formas apropiadas, o por la imposicion de formas inapropiadas.

Las computadoras presentan un formato inapropiado de instrucciones para los niños en edad temprana, porque para la mayor parte, las habilidades cognoscitivas de un niño que no ha alcanzado el cuarto grado no han madurado lo suficiente para una de dos: 1) el nivel de aprendizaje tecnológico, representado por la computadora, 2) El nivel de abstraccion inherente al proceso de aprendizaje de la computadora.

No tiene sentido para el desarrollo mental poner computadoras en los salones de clases de niveles elementales, pero no estoy sorprendido en lo más mínimo ante el anhelo general de hacerlo. Es típico el intento de jalar al "caballo de la maduración" hacia atrás de una "carreta llena de herramientas tecnológicas".

Me he dado cuenta de que varias compañias de computación están presionando a los niños de dos o tres años, con la insinuación de que si su hijo no está "capacitado en computación", en el momento en que entre a la escuela, será para siempre un "tullido" cultural. Esta es la farsa publicitaria esencial de los mismos grupos que le ofrecen jabones que mantendrán la apariencia de sus manos, por más tiempo; todo esto carece de sentido y lo encuentro absurdo. ¿Necesito decirle que estas personas que hacen fichas publicitarias no se interesan por sus hijos?

Varias compañias importantes, patrocinaron reciéntemente

un seminario, en el que surgió la pregunta: "¿Qué tan importante es que los niños que están en grados elementales se familiaricen con las computadoras?" El consenso: *No es importante. La tecnología está cambiando tan rápido que las cosas que aprenda ahora el niño, tedrán que ser "desaprendidas" cuando entre al sistema de mercado.* El hecho es que las escuelas públicas simplemente no cuentan con los recursos para hacer este tipo de innovaciones. Las únicas dos habilidades de la computadora posibles para la explotación económica, son programar y diseñar. Dependiendo del paquete involucrado, nadie puede ser enseñado virtualmente para operar una computadora ya sea en tres horas o en tres días. *Definitivamente las computadoras "llegaron para quedarse" y las escuelas tienen la responsabilidad de familiarizar a los niños con ellas,* pero no a actuar como si sus vidas y subsistencia dependieran de esto.

Partiendo de la historia de nuestra especie, la comunicación escrita e impresa, evolucionó antes de la existencia de las computadoras *y parece lógico pedir que un jovencito alcance un cierto nivel de habilidades para la lectura, escritura, y aritmética antes de que se gradúe en computación.* De hecho, si determinamos la realización de cuarto grado como el promedio, cada niño estará listo en segundo grado, pero otros, mucho más tarde.

En el extraordinario libro "La desaparición de la infancia", su autor Neil Postman señala que el gobierno de las habilidades para la lectura tradicional (leer y escribir) *son esenciales para mantener una importante distinción entre la edad adulta y la infancia.* Postman asegura que la televisión y otros medios masivos de comunicación borran esta distinción y le restan sentido.

No tengo ninguna duda de que las computadoras representan

un gran avance, considerándolas como una herramienta para el hombre, así como que sus beneficios están limitados únicamente por nuestra visión. Pero a menos que la visión sea incorporada y moderada para apreciación adecuada de la infancia y a lo que ésta implica, *corremos el riesgo de hacer más daño que beneficio a nuestros niños* (y de hecho, a nosotros mismos) *con ésta nueva tecnología.* Teniéndo ésto en mente quiero citar unas cuantas palabras del filósofo educativo Thomas Dewey *(siglo XIX)* que me parecen apropiadas: *"Si nos identificamos a nosotros mismos con los instintos reales y las necesidades de la infancia, sólo requerimos su plena afirmación y crecimiento. . . la disciplina y cultura de la vida adulta deberá llegar en el momento adecuado".*

P.   *Recientemente compramos un famoso y caro videojuego exclusivamente para nuestro hijo de ocho años, como premio por sus calificaciones en la escuela. De cualquier modo, empezamos a pensar que cometimos un error porque lo único que quiere hacer es jugar con él. También hemos notado algunos cambios y alteraciones de su personalidad (disminución en el grado de tolerancia ante las frustraciones, berrinches, problemas con su herrmano menor, y retobos para nosotros). Nos preguntamos si esto puede tener relación con su obsesion por los videojuegos. Desafortunadamente, no encontramos la manera para quitárselo, o poner límites para su uso, sin que parezca que rompemos nuestra promesa. ¿Tiene algúna sugerencia?*

R.   Ustedes no están solos. Es la misma historia de remordimiento que he escuchado de muchos padres.

En 1982, cuando empezó la moda de los videojuegos y se convirtió en un éxito enloquecedor, dije y lo repito ahora: En el mejor de los casos *estos inventos no tienen ningún valor.* En el peor de los casos resultan peligrosos. *Entre más pequeño sea el niño, mayor será el peligro.* (Antes de ir más adelante, necesito hacer la distinción entre el tipo de videojuegos que están incluidos en el área educacional y los videojuegos no educativos. Esta advertencia se refiere exclusivamente a lo más reciente.)

En primer lugar, **los videojuegos no son juguetes.** Por definición, juguete es algo que proporciona la oportunidad para el juego imaginativo, creatividad y constructividad, pero también *"son estresantes".*

He observado a muchos niños, incluyendo a los míos, "jugar" con videojuegos. Ningúno parece que esté divirtiendose. *Es típico que el cuerpo esté tenso, la expresión de la cara "tirante".* *Cuando aparece la señal de que el juego ha terminado, el niño "explota" en un berrinche fenomenal.* Si esto es diversión, las cosas han cambiado definitivamente desde que yo era niño. A esto yo le llamo, comportamiento del "Tipo A".

En segundo lugar, los videojuegos favorecen el comportamiento adictivo. En este caso, el "alto" es una puntuación alta. El problema es que ningúna puntuación es lo suficientemente alta. Como en la adicción a las drogas, donde el adicto necesita incrementar constantemante la dosis en relación a la satisfacción que le proporciona, en los videojuegos, *el niño se convierte en adicto pues se obsesiona por incrementar constantemente su puntuación.*

Una situación de ésta especie puede "dirigir" a los niños exactamente a los cambios de comportamiento y personalidad que usted describe. *Ponga a un niño o a cualquier ser humano, en un medio ambiente de tensión (de este calibre) por largos periodos de tiempo, y verá cambios negativos en el comportamiento.* La tensión prolongada disminuye la tolerancia del individuo ante la frustración e incrementa la probabilidad de conflicto en sus relaciones así como otras respuestas del comportamiento. Eventualmente las habilidades del individuo se encuentran al borde del abismo, a punto de caer al vacío. También, tenga en mente que *los niños son mucho más vulnerables que los adultos, ante los efectos de la tensión.*

Conclusión: en primer lugar, no creo adecuado que le hayan comprado a su hijo un aparato de videojuego. Pero ustedes mencionan un buen punto; en base a que ustedes lo prometieron, ¿qué pueden hacer ahora?

Pueden limitar el tiempo de juego, a treinta minutos al día, únicamente los días que no hay escuela. O mejor aún, pueden decirle "Cometimos un error" y retirar por completo el aparato. Tal vez él esté de acuerdo en que ustedes lo vendan para sustituirlo con algo del mismo precio (pero con mayor valor de juego), como una bicicleta. Créanme que un gasto adicional, valdría la pena.

P.   *He tratado de limitar a mi hijo, el tiempo de televisión, con poco éxito, durante dos años. Hay tres problemas que me estan deteniendo. Primero, "hay" un marido, que adora ver la T.V. y no coopera con ningún plan que interfiera con su "libertad de ver T.V." como él mismo define. Segundo: aún sin el primer problema, no ha logrado encontrar la manera para fortalecer los limites que establezco. Tercero: lo considero la prégunta más importante para responder, ¿"Cuánto es mucho"? para los niños entre cuatro y ocho años. ¿Qué me responde?*

R.   En 1978, le sugerí a Willie reducir el tiempo que Eric y Amy pasaban frente al televisor. De hecho propuse reducir este tiempo de cerca de veinte horas a la semana, hasta cero (¡inocente de mí!).

Willie y yo disfrutamos la T.V. Willie dijo estar de acuerdo en eliminar la T. V., para los niños, pero ella no quiso renunciar a sus programas favoritos. Después de muchas discusiones, llegamos a la coclusión de que la solución ideal sería mudar la T.V., a nuestra recámara. Ahí, Willie podría ver la T.V., cuando quisiéra sin tener que estar alerta por que los niños trataran de ver a "hurtadillas". Varios meses después, la T.V., se descompuso, y la dejamos así por cerca de cuatro años. Durante ese tiempo, todos aprendimos que la calidad de vida en nuestra familia era mejor en cualquier aspecto, *sin televisión*.

P.   *Durante esos cuatro años que no tuvieron T. V., ¿qué cambios notó en sus hijos?*

R.   Cuando quitamos la T.V. las calificaciones de Eric eran mediocres, no le gustaba leer, no tenía ningún interés en particular, y constantemente se quejaba de estar aburrido. Las calificaciones de Amy eran mejores que las de su hermano, pero sólo leía lo que estaba obligada a leer para la escuela.

Después de leér el revelador libro de Mrie Winn, que por cierto es excelente y altamente recomendable, "La droga electrica", Willie y yo sacamos la T.V. de la vida de nuestros hijos y eventualmente de las nuestras. Después de alrededor de tres meses de escuchar que eramos "Padres Inferiores", empezamos a notar un cambio positivo en el comportamiento y conducta de nuestros dos niños. Para empezar, *cesaron las quejas de "no tengo nada que hacer"*. *Se volvieron más extrovertidos, comunicativos y cariñosos, incrementaron sus actividades sociales,* y notamos marcados progresos en sus habilidades sociales. Dejaron de pelear el uno contra el otro con la frecuencia con la que lo hacían. Notamos un progreso definitivo en su sentido del humor. Empezaron a leer más e incluso a pedir permiso para ir a la biblioteca. Cuando íbamos de compras en vez de ir a

la juguetería, pedían ir a la librería. Sus calificaciones mejora-
ron, especialmente las de Eric.

Pero el mejor de los resultados por sacar la T.V. de la vida de
nuestros niños fue que ambos empezaron a actuar nuevamente
como niños. Sus juegos se tornaron más imaginativos y creativos. De hecho, Amy quería pasar tardes enteras actuando
segmentos de historias. Eric, construyó fuertes y castillos en los
"bosques" de atrás de la casa.

*En un lapso de un año, los dos desarrollaron aficiones con las
que actualmente están mucho más involucrados.* Eric se convirtió en un experto en las construcciones de modelos y se interesa
en particular en la Segunda Guerra Mundial y el equipo militar.
Cuando él adquiría un modelo, iba a la biblioteca para investigar cómo y dónde fue usado, cómo lo pintaron, etcétera. Cuando terminaba su tarea, armaba su modelo, lo ponía bajo el pul-
verizador de aire comprimido para un acabado más fino y una
apariencia más real; después construía un diorama que servía de
exhibidor. Cada modelo significaba no sólo un ejercicio para la
creatividad sino que también era una lección de historia. Eventualmente Eric, se interesó por los aviones. Como regalo de
graduación de la secundaria nos pidío clases de aviación. Hoy,
ya tiene su licencia de piloto y está en camino para la carrera de
aviación.

Amy se interesó en música y actuación. Nos pidió clases de
piano e ingresó en el teatro local de nuestra comunidad, donde
continúa desde que empezaron con "Oliver" y actuó en pequeños papeles en muchas otras producciones. A la edad de diesci-
seis años, es una gran pianista, así como actriz talentosa. Planea
hacer carrera de dirección y producción de películas.

¿ ¡Qué más puedo decir!? ¡Fué maravilloso!

P.   ¿*Sus hijos no se sentían "fuera de onda" cuando sus amigos platicaban de los programas de la T.V.?*

R.   Si así fue, nunca se quejaron con nosotros. Me imagino que de algúna manera debe haber sido frustrante por algún tiempo, pero estoy seguro que contaban con la simpatía de sus amigos. En el análisis final, la ausencia de la T.V., les dio más tiempo para socializar, y no sólo para hacer más amigos sino para mejorar significativamente sus habilidades sociales. Estoy seguro de que la industria de la T.V., quisiera que todos nosotros creyéramos que los niños que no ven la T.V., no pueden saciar su curiosidad, pero *NO es así.* A través de los años, he hablado con *muchos padres que tuvieron el valor de anular la T.V. de la vida de sus hijos.* Todos dicen básicamente lo mismo: *los niños se volvieron más imaginativos, autosuficientes, lle..os de recursos, platicadores, extrovertidos y obtubieron nuevos intereses.*

P.   ¿*Cuando usted reintrodujo la T.V. a la vida de Eric y Amy, cómo controló el asunto?*

R.   Cuatro años antes de "sacar" la T.V., compramos una portátil a color, que por su tamaño podíamos colocarla en el librero. Todos los domingos, los niños llenaban una forma enlistando por orden de importancia, cinco horas de T.V. para la semana de las cuales por lo menos dos tenían que ser programas educacionales. Usando la siguiente forma, los niños enlistaban los programas que querían ver así como la hora y el día, y nos entregaban su lista. Si nosotros la aprobábamos, esos eran los únicos programas que podían ver. Permitíamos algúnos cambios, pero por adelantado. En otras palabras, si "perdían" uno de los programas que seleccionaron, no tenían permiso de reponer ese tiempo en la semana. Este método funciona porque aprenden acerca de la resposabilidad y el cumplimiento. Debido a que los niños prefieren vigilarse a sí mismos, que ser vigilados. . . ¡cooperan con este sistema!

CONTRATO PARA LA TELEVISIÓN

Nombre del niño _____

Para la semana (empezando el domingo) _____

Día	Hora	Programa	Duración	Aprobado

Nombre del niño: _____

Para la semana (empezando el domingo) _____

Día ___ Hora ___ Programa ___ Duración ___ Aprobado ___

P. *¿Si ustedes tuvieran que hacer las cosas nuevamente, qué cambiarían (si es que desearan cambiar algo) usted y Willie?*

R. No permitiríamos que empezara el "habito de la televisión" vale más la medicina preventiva que la curativa.

LEA ESTO ULTIMO

De modo que. . . así están las cosas. Garantizo mis seis puntos; si no está satisfecho con este plan para educar niños *sanos y felices,* entonces soy un "Payaso". *Tan felices como tener una adecuada auto-estima y poseedores de una actitud positiva, capacidad de logro y realización, todo orientado hacia las realidades y cambios de la vida. Recapitulando:*

PRIMER Capítulo: Ponga más atención a su matrimonio que a sus hijos. En otras palabras, lo primero es lo primero y manténgalo ahí, que es en donde tiene más probabilidades de perdurar. Si usted es un padre soltero, esto se traduce así: Ponga un poco mas de atención a usted mismo que a su hijo. Recuerde, como padre soltero, usted no puede suplir exitosamente las "provisiones" de alguien más a menos que usted tenga llena su propia "bodega".

SEGUNDO Capítulo: Espere que sus niños obedezcan. Deje de disculparse por las decisiones que toma dentro de la vida de sus hijos. *Regrese al campo de poder de "Porque lo mando yo".* Deje de pensar que puede convencer a su hijo, de que sus decisiones son "por su bien," o que por lo menos lo tiene que intentar. *Los padres decididos, merecedores de confianza, firmes y autorizados, son esenciales para que el niño se sienta seguro. En una palabra, los padres deben ser ¡poderosos! Así que, actúe sobre esto. ¡Sus hijos están contando con usted!*

TERCER Capítulo: Active la participación de sus niños dentro de la familia, habilitándolos desde pequeños para que hagan contribuciones regular y tangiblemente a la familia, en la única forma posible. . . tareas domésticas. Esto los hace miembros responsables dentro de la familia, y como consecuencia, responsables de su propio comportamiento. Ya no corra detrás del autobús, deje de atar sus agujetas, deje de intentar evitar que se caigan aplanándose la cara en el piso. *Déles la oportunidad de aprender "lo duro del camino", lo que comúnmente es la única manera para lograrlo.*

CUARTO Capítulo: Dele a sus hijos dosis regulares y realistas de vitamina "N". Cuando usted lo haga, y su hijo se caiga al suelo gritando, dése usted mismo una palmadita por un trabajo bien hecho. *Recuerde que una exposición frecuente a la frustración no solo prepara al niño para la realidad de la madurez, sino que gradualmente ayuda al niño a desarrollar la tolerancia a la frustración. Esta tolerancia dá como resultado la perseverancia, elemento clave para cualquier historia de éxito. Deje de pensar que es su obligación hacerlos y mantenerlos felices, porque no es así. Su primer obligación es dotarlos con las habilidades que van a necesitar para alcanzar ellos mismos la felicidad ¡Frustre a sus hijos para prepararlos para el éxito!*

QUINTO Capítulo: En lo que se refiere a los juguetes, *menos es más. Y un juguete es mejor cuando se puede "convertir" en más cosas.* Recuerde que cuando un niño nos dice que está aburrido, lo que en realidad nos está diciendo es que se le ha dado demasiado y muy pronto.

SEXTO Capítulo: No se deje engañar por los argumentos mañosos de ciertos programas para niños. Recuerde que en esto hay más fondo que el que el niño tenga el ojo pegado a la T.V., cualquiera que sea el programa. Dele a sus niños el regalo más valioso: oportunidades reales en esta era de "alta tecnología" por la razón de "alta tecnología": Los años de desarrollo que no están constantemente desviados de su propósito por el parpadeo de "La Droga Eléctrica". Y finalmente. . .

SEPTIMO Capítulo: "¿Qué es esto?" ¡¡Séptimo punto!!, pero usted dijo que. . . ya sé lo que dije. Dije que éste es un plan de seis puntos. *Por nada del mundo me puedo ir sin mencionar el séptimo punto, y tal vez el más importante de todos, que es:* "¡Amelos lo suficiente para llevar a cabo realmente los primeros seis puntos!"

ACERCA DEL AUTOR

John Rosemond es, psicólogo familiar de *Piedmont Psychological Associates* de Gastonia, Carolina del Norte. En su práctica privada, su trabajo se especializa en padres, niños, y familias. John también es miembro del grupo de maestros de la facultad del Departamento Familiar e Infantil del Hospital Charlotte Memorial.

Desde 1978 John ha escrito la columna Nacional de Padres, misma que generalmente aparece publicada en más de setenta y cinco periódicos a través de Estados Unidos y Canadá. También es el columnista *"de los padres"* de la revista "Mejores casas y jardines".

Para su libro, "¡Porque lo mando yo!", que fue publicado en 1981 por East Woods Press en México por Editorial Libra, hizo una cuidadosa selección del libro para padres jóvenes.

En 1981, John fue seleccionado como "El Profesional Del Año" por el *Mecklenburg County Mental Health Association de Charlotte*, Carolina del Norte. En 1986, fue galardonado con el *Alumni Achievement Award* por su *Alma* Máter, la Universidad de Illinois.

A lo largo del año, John ha sido considerablemente requerido como conferencista. Sus presentaciones y trabajos acerca de los padres han dejado huellas profundas en los grupos de profesionales y padres, en todos los sitios en los que se presenta.

Por último, pero sin ser menos importante, John es esposo de Willie, padre de Eric de veinte años y Amy de dieciséis.

Esta obra, se terminó de imprimir el día 4 de Septiembre de 2006, en los talleres de Editorial y distribuidora Leo, S.A. de C.V.